Classiques Larousse

Collection fondée par Félix Guirand, agrégé des lettres

Molière

Le Bourgeois gentilhomme

comédie-ballet

Édition présentée, annotée et expliquée
par
BERNARD PLUCHART-SIMON
docteur ès lettres

LAROUSSE

ISBN 2-03-871303-1

Sommaire

PREMIÈRE APPROCHE

4 Molière, un bourgeois farceur
9 L'homme de théâtre
14 Une pièce de circonstance
18 Les principaux personnages
21 De quoi s'agit-il ?

LE BOURGEOIS GENTILHOMME

27 Acte I
45 Acte II
73 Acte III
125 Acte IV
143 La cérémonie turque
153 Acte V
165 Ballet des nations

DOCUMENTATION THÉMATIQUE

182 Au XVIIe siècle, la Turquie fait rêver la France...
186 La folie des grandeurs

195 ANNEXES
(Analyses, critiques, activités de lecture, bibliographie, etc.)

227 PETIT DICTIONNAIRE POUR LIRE *LE BOURGEOIS GENTILHOMME*

Molière, un bourgeois farceur

De l'enfance à la vocation théâtrale

De son vrai nom Jean-Baptiste Poquelin, Molière est né en 1622 à Paris, dans une famille de la bourgeoisie, assez riche. Marie Cressé, sa mère, fille d'un tapissier, sait lire et écrire, ce qui est rare à l'époque. Elle mourra en 1632. Le père Poquelin, marchand tapissier, se remarie avec la fille d'un marchand carrossier, Catherine Fleurette, illettrée, qui mourra à son tour en 1636, en laissant cinq enfants.

Le jeune Jean-Baptiste est d'abord éduqué chez des jésuites, au collège de Clermont à Paris (aujourd'hui, lycée Louis-le-Grand). À partir de 1642, il fait des études de droit à Orléans et exerce la fonction d'avocat au barreau de Paris pendant six mois. Il remplace ensuite son père qui lui avait transmis sa charge de tapissier de la Chambre du roi dès 1637. Mais, attiré par le théâtre, Jean-Baptiste abandonne métier et honneurs pour devenir comédien. En 1643, à 21 ans, il fonde avec la famille Béjart *l'Illustre-Théâtre,* dont la directrice est Madeleine Béjart.

À la tête d'une troupe itinérante

À la suite de difficultés financières, Jean-Baptiste Poquelin, qui se fait désormais appeler Molière, part en province avec la troupe, dont il prend la direction.

L'Illustre-Théâtre sillonne la France pendant environ

Scène de théâtre en plein air, dessin anonyme du XVIe siècle.
Centre culturel de Cambrai.

treize ans : d'abord le Sud-Ouest (Agen, Albi, Carcassonne, Toulouse), puis Pézenas, où Molière avait l'habitude de se poster chez le perruquier Gely dans un fauteuil que l'on montre encore, pour entendre les conversations et observer les clients (d'où le surnom, qui lui restera, de « Contemplateur »). Les tournées se poursuivent : Lyon, Grenoble, Rouen enfin, où Molière rencontre Corneille. Celui-ci est déjà célèbre comme auteur de tragédies (pièces au sujet grave, pleines de passions).

Durant toutes ces années, Molière, protégé par le prince de Conti puis par le duc d'Épernon, a composé un bon nombre de farces dont la plupart ont été perdues. Il a créé notamment le personnage de Mascarille, présent dans *l'Étourdi* et *le Dépit amoureux,* ses premières comédies.

Un seul but : faire rire !

De retour à Paris, *l'Illustre-Théâtre,* composé de dix comédiens et comédiennes, loue la salle du jeu de paume du Marais. La troupe de Molière réussit, en 1658, à jouer devant le tout jeune roi Louis XIV et sa cour. Au programme, deux pièces, comme c'est l'habitude : d'abord une tragédie de Corneille, *Nicomède.* Le roi s'ennuie à mourir d'autant plus que Molière n'est pas un bon acteur tragique. Heureusement le spectacle se termine par une de ses farces, *le Docteur amoureux :* le roi rit de bon cœur et la Cour applaudit.

Louis XIV, conquis, installe la troupe dans la salle du Petit-Bourbon qu'elle partage avec les comédiens-italiens. Molière va pouvoir faire mieux vivre sa troupe et créer plus librement. Il se souvient des farceurs italiens qui le faisaient rire dans son enfance et qui savaient improviser de courtes pièces pleines de fantaisie, où les pirouettes, les costumes, les masques et les grimaces jouent un rôle essentiel.

En 1659, Molière écrit et joue *les Précieuses ridicules,* avec un succès d'autant plus éclatant que le sujet porté sur scène (des provinciales qui veulent imiter les grandes dames de la noblesse) se rattache à l'actualité. À cela s'ajoute la création du personnage de Sganarelle, paré de longues moustaches tombantes, que l'on retrouve dans de nombreuses pièces, par exemple *le Médecin malgré lui ;* Molière devient ainsi « le premier farceur de France ».

Molière, créateur de spectacles pour le roi

Il épouse Armande Béjart, de vingt ans plus jeune que lui, et triomphe avec *l'École des femmes* au Palais-Royal en 1662 (le Petit-Bourbon a été démoli en 1660 afin d'ériger la colonnade du Louvre).

Deux grandes comédies de caractère (voir page 227), *le Tartuffe* (1664) et *Dom Juan* (1665), déchaîneront contre Molière des jalousies et de véritables campagnes de dénigrement dirigées en partie par la troupe rivale installée à l'Hôtel de Bourgogne. Louis XIV, qui continue de protéger Molière, décide d'être le parrain de son premier enfant. Il confie aussi à Molière l'organisation des divertissements royaux tels que *les Plaisirs de l'Île enchantée ;* la troupe est devenue Troupe du roi et reçoit pension. Presque chaque année, Molière contribue à distraire la Cour par un ou plusieurs spectacles agrémentés de danses et de chants : *l'Amour médecin* (1665), *la Pastorale comique* (1667), *George Dandin* (1668), *Monsieur de Pourceaugnac* (1669) et *le Bourgeois gentilhomme* (1670). Ces deux dernières pièces peignent une certaine bourgeoisie qui prend une place grandissante au sein de la société.

Auteur et acteur jusqu'au bout

Molière écrit et joue de nombreuses autres comédies jusqu'à sa mort, parmi lesquelles *l'Avare* (1668), *les Fourberies de Scapin* (1671), *les Femmes savantes* (1672), etc. En février 1673, il présente *le Malade imaginaire* dont il tient le rôle principal. Mais il est pris d'un malaise lors de la quatrième représentation et meurt chez lui quelques heures plus tard. Il est enterré dans la clandestinité, car l'Église catholique, à l'époque, ne considérait pas que les comédiens avaient droit à un enterrement religieux.

L'homme de théâtre

Un « honnête homme » au physique comique

On sait, par ceux qui l'ont connu, que Molière avait lu les ouvrages des plus grands penseurs de l'Antiquité et de son temps, notamment les philosophes partisans d'une vie en conformité avec la nature. C'était donc un homme de grande culture, plein de finesse, ayant un sens de l'observation très développé ; bref, l'idéal masculin du XVIIe siècle : un « honnête homme ».

Au physique, il avait, comme le décrit l'une de ses camarades de troupe : « la taille plus grande que petite, le port noble, la jambe belle ; il marchait gravement, avec l'air sérieux, le nez gros, la bouche grande, les lèvres épaisses, le teint brun, les sourcils noirs et forts, et les divers mouvements qu'il leur donnait lui rendaient la physionomie entièrement comique ».

Ce portrait souligne le contraste entre la gravité de la démarche et la mimique du visage (à tel point qu'on a pu lui comparer le jeu de Charlie Chaplin). Il fait déjà entrevoir cette force comique que l'on rencontre dans son théâtre, et qui tout simplement est le sens de ce qui fait rire.

Écrivain et metteur en scène

Quand Molière écrivait une comédie, on sait qu'il se réservait généralement comme directeur de troupe le

Molière excellait dans l'art de l'imitation
et de la caricature. Jérôme Savary, premier rôle
et metteur en scène du *Bourgeois gentilhomme,* 1989.

rôle le plus important, sinon le plus difficile. C'est lui qui crée le personnage de Sganarelle et lui imprime ses traits d'une pièce à l'autre, qu'il s'agisse de farces comme *le Médecin volant* ou d'une grande comédie de mœurs comme *Dom Juan*.

Écouté et aimé, il savait distribuer avec art les rôles,

encourager, ménager les susceptibilités des uns et des autres. Lui-même attachait beaucoup d'importance au « naturel » de ses comédiens, leur indiquait, sans se lasser, les gestes à accomplir, le ton sur lequel dire leurs tirades et leurs répliques.

Metteur en scène de ses spectacles, il choisissait soigneusement les éléments de décor et les costumes. Le public de l'époque était volontiers turbulent et indiscipliné, parlant haut et intervenant dans les dialogues. Il fallait donc retenir son attention dès les premières répliques, grâce aux mimiques et aux mouvements sur scène.

Par ailleurs, l'éclairage à la bougie ne permettait pas de distinguer tous les détails. Les spectateurs qui n'étaient pas placés sur les banquettes restaient debout, serrés, et risquaient de ne pas bien voir. C'est pourquoi un constant travail de mise en scène était nécessaire, qui pouvait chaque fois être remis en question pour contenter l'ensemble du public.

Molière avait l'art de modifier sa voix et son allure et allait jusqu'à utiliser ses défauts physiques pour faire rire ! On raconte qu'il avait, sur scène, un hoquet qu'il exploitait pour la plus grande joie des spectateurs. À la fin de sa vie, alors qu'il était très gravement malade, il tirait encore des effets comiques des quintes de toux qui le secouaient, notamment dans le rôle principal du *Malade imaginaire*.

Molière
1622
création
de l'*Illustre Théâtre*
1643
Molière joue
devant le Roi
1658
La Bruyère
Racine (1639-1699)
Boileau (1636-1711)
Charles Perrault (1628-1703)
La Fontaine (1621-1695)
Corneille (1606-1684)
règne de Louis XIII
(1617-1643)
Régence
(Anne d'Autriche
et Mazarin :
1643-1661)

l'*Illustre Théâtre*
devient Troupe du Roi
1665 1673

(1645-1696)

règne de Louis XIV
(1661-1715)

1661 : début de la construction du château de Versailles

Une pièce de circonstance

1669 : la mode est aux « turqueries »

Louis XIV demanda à Molière et à Lulli de composer une comédie-ballet pour les fêtes données à Chambord en 1670, à l'occasion des chasses d'automne. Mais pourquoi voulait-il que ce spectacle montre des Turcs, leurs costumes, leurs manières ?

C'est que la Cour était encore tout émue de la visite mouvementée d'un émissaire musulman en novembre 1669. Pour renouer des relations diplomatiques avec la France, le sultan de l'Empire ottoman, Mehmed IV, cherchant à se faire pardonner l'emprisonnement puis le renvoi de l'ambassadeur de France en poste à Constantinople, avait envoyé un ambassadeur à Versailles. Mais ce personnage ne daigna pas se laisser éblouir par le faste déployé en son honneur. Il fit remarquer, dit-on, que tous les vendredis, le sultan allait prier à la mosquée sur un cheval paré plus richement que Louis XIV lui-même.

Cependant, le remue-ménage et l'indignation occasionnés avaient laissé un parfum d'exotisme et toute la Cour rêvait de l'Orient. Peut-être le Roi-Soleil comptait-il sur Molière pour ridiculiser cet émissaire qui s'était montré méprisant à son égard ?

Une comédie-ballet particulièrement réussie

Le Bourgeois gentilhomme n'est pas la première comédie-ballet de Molière. Ce genre occupe une place importante dans son œuvre dès 1661 ; il alterne avec les farces et les grandes comédies. Homme cultivé, Molière n'ignore pas la manière dont les grands auteurs grecs, Aristophane par exemple, unissaient musique, danse et poésie. Il sait incorporer la danse à l'action et fortifier par la musique l'expression des sentiments, aussi bien que l'intérêt des situations.

Avec *les Amants magnifiques,* en 1670, il recourt même à la pantomime, l'art de s'exprimer par le geste, la mimique sans employer le langage. On trouve des traces du jeu de mime dans *le Bourgeois gentilhomme.*

Toutefois, si Molière se soucie du moindre détail, des costumes et de la décoration, si, grâce à la danse et à la musique, il peut traiter plusieurs sujets qu'il n'aurait pu aborder sans cela, il ne perd pas de vue la comédie, et il entend bien que le texte cesse de « porter querelle » à la musique et au ballet « pour donner du plaisir au plus grand roi du monde ».

Et si l'agréable l'emporte sur la morale ou l'intention moralisante, tant mieux ! Molière réalise alors le chef-d'œuvre de la comédie-ballet. Et sans doute est-il le premier à réussir cet adroit mélange de la comédie et du ballet.

Un succès de toujours

La pièce fut jouée quatre fois à Chambord en octobre 1670 ; elle fut ensuite donnée au Palais-Royal. Entre 1680 et 1690, *le Bourgeois gentilhomme* fut joué plus de mille fois à la Comédie-Française, juste un peu moins que *le Malade imaginaire.* Raimu, acteur bien connu du

La visite d'un ambassadeur extraordinaire
du roi de Perse auprès de Louis XIV au château de Versailles.
Gravure de Leroux, école française des XVIIe et XVIIIe siècles,
Musée Carnavalet, Paris.

public, popularisé par le cinéma, contribua dès 1944 à un succès qui s'est confirmé ensuite. C'est en effet le premier spectacle que le Théâtre-Français a présenté aux États-Unis comme en Union soviétique avec un égal triomphe.

Les principaux personnages

M. Jourdain, le riche marchand drapier qui rêve de noblesse

Bourgeois enrichi par le commerce, il n'a pas fait d'études et ne connaît pas les bonnes manières. Son ambition : ressembler aux nobles. Comme il a beaucoup d'argent, il dépense sans compter afin de pouvoir les imiter dans leurs manières de vivre, se créer des relations et approcher la Cour.

Presque toujours présent sur scène, soit comme acteur, soit comme spectateur des divertissements qu'il paie, il suscite le rire par sa naïveté et ses maladresses. Peut-être fait-il quelquefois pitié, dans ses efforts désespérés pour se hausser au-dessus de son rang, notamment quand il essaie de séduire la belle marquise Dorimène.

Mme Jourdain, l'épouse qui défend son foyer

Face à la folie de son époux, Mme Jourdain représente le bon sens et l'ordre. Elle n'a pas honte d'être une bourgeoise. Sa seule alliée véritable est la servante Nicole qui, elle aussi, reste fidèle à ses origines. Celle-ci est toujours prête à rire et même à utiliser la ruse pour défendre les intérêts de la famille.

En revanche, Mme Jourdain ne trouve rien de drôle dans les extravagances de son époux et elle tente de le

Le maître à danser.
Gravure d'Abraham Bosse, XVIIe siècle.
B.N., cabinet des Estampes, Paris.

ramener à la réalité. Elle encourage ainsi l'amour de sa fille Lucile pour le bourgeois Cléonte, jeune premier sympathique et honnête, qui a pour valet Covielle.

Ceux qui profitent de M. Jourdain

Dorante est le personnage le plus équivoque de la pièce. Habile flatteur, il utilise M. Jourdain pour servir ses propres intérêts : il lui extorque de l'argent sous prétexte de l'aider à devenir noble et à séduire Dorimène. En réalité, il abuse de la confiance de M. Jourdain. Il se prétend comte, mais est-il vraiment noble ?

Les maîtres exploitent, eux aussi, la naïveté du bourgeois, son rêve de se conduire en gentilhomme et son réel désir d'apprendre. Le maître de philosophie et le maître d'escrime se conduisent comme des personnages de farce. Quant au tailleur, aux maîtres de danse et de musique, ils tirent profit des obsessions de M. Jourdain pour s'enrichir tout en le méprisant.

De quoi s'agit-il ?

M. Jourdain, ses maîtres et son tailleur

L'ouverture de la pièce se fait sur ce qui constituera son unité : la préparation du ballet à offrir en cadeau à la marquise Dorimène. Le divertissement donne lieu à des discussions et des moqueries du maître de musique et du maître à danser à propos de M. Jourdain, qui les rétribue largement, jusqu'à la présentation du premier intermède (acte I, scènes 1 et 2).

Quand M. Jourdain manifeste le désir d'apprendre à faire la révérence (acte II, scène 1), arrivent le maître d'armes et le maître de philosophie, qui, à force de défendre la supériorité de leur art respectif, en viennent aux mains. Une bagarre éclate entre tous les maîtres, dans laquelle M. Jourdain refuse prudemment d'intervenir.

Dans la scène suivante, en tête à tête, le maître de philosophie propose à M. Jourdain de lui enseigner la logique, la morale, la physique. Mais M. Jourdain préfère se limiter à l'orthographe : c'est qu'il s'agit, pour lui, de savoir rédiger un billet à la belle marquise (acte II, scène 4).

Enfin, le maître tailleur vient livrer sa commande ; l'acte se termine par l'entrée des garçons qui habillent M. Jourdain selon un cérémonial prestigieux (premier intermède dansé).

À qui M. Jourdain mariera-t-il sa fille Lucile ?

Alors qu'il s'apprête à exhiber son habit en ville, M. Jourdain subit les moqueries de sa servante et les réprimandes de sa femme. Au lieu de s'occuper du mariage de sa fille, il s'empresse devant Dorante, ce seigneur qui vit à ses dépens et l'avertit de la visite prochaine de la marquise Dorimène (acte III, sc. 6). Quand M. Jourdain quitte la scène, Cléonte et Lucile, Covielle et la servante Nicole jouent en écho une scène de dépit amoureux (sc. 10) qui se finit par une réconciliation générale. Malheureusement, Cléonte, soutenu par Mme Jourdain, se voit évincé par M. Jourdain, car il a le tort de ne pas se faire passer pour gentilhomme (sc. 12).

Covielle propose alors à son maître un stratagème, tandis que Dorante reparaît en compagnie de Dorimène, aussi étonnée des dépenses faites pour elle que des manèges de M. Jourdain autour de sa personne. L'acte se termine par un nouvel intermède : le ballet des cuisiniers préparant un festin en l'honneur de la « belle marquise ».

Turcs et turqueries... et tout est bien qui finit bien

Surgit Mme Jourdain coupant court aux compliments ridicules de son mari, tout occupé de plaire à Dorimène qui, choquée, quitte la table avec Dorante (acte IV, sc. 2). Tandis que les époux se querellent, un interprète turc (Covielle déguisé) annonce à M. Jourdain que le

Molière acteur tragique. Tableau de Nicolas Mignard (1606-1668).
Musée Carnavalet, Paris.

fils du Grand Turc (en réalité, Cléonte), ayant vu Lucile, veut l'épouser sur-le-champ, à condition que M. Jourdain soit élevé, des mains de ce futur gendre, à la dignité de Mamamouchi (acte IV, sc. 5).

Au terme de la cérémonie qui consiste, pour M. Jourdain, à recevoir des coups de bâton et de sabre, survient Mme Jourdain, excédée de le voir ainsi accoutré et ridiculisé. Dorimène et Dorante décident d'appuyer le mariage de Cléonte, en profitant de la folie de M. Jourdain. Pour éviter à Dorante des dépenses excessives, Dorimène lui propose de l'épouser.

Le fils du Grand Turc, accompagné de son interprète, vient se présenter à Lucile, qui refuse d'abord de l'épouser, mais, reconnaissant Cléonte, finit par accepter. À son tour, Mme Jourdain, plus difficilement convaincue, se rallie.

La pièce se termine par un triple mariage (car Nicole et Covielle s'épousent aussi) et par le Ballet des nations, à la gloire de l'union entre l'Espagne, l'Italie et la France.

MOLIÈRE

Le Bourgeois gentilhomme

comédie-ballet
représentée pour la première fois
le 14 octobre 1670 à Chambord

Personnages

Monsieur Jourdain, *bourgeois.*

Madame Jourdain, *sa femme.*

Lucile, *fille de M. Jourdain.*

Nicole, *servante.*

Cléonte, *amoureux de Lucile.*

Covielle, *valet de Cléonte.*

Dorante, *comte, amant de Dorimène.*

Dorimène, *marquise.*

Maître de musique.

Élève du maître de musique.

Maître à danser.

Maître d'armes.

Maître de philosophie.

Maître tailleur.

Garçon tailleur.

Deux laquais.

Plusieurs musiciens, musiciennes, joueurs d'instruments, danseurs, cuisiniers, garçons tailleurs, et autres personnages des intermèdes et du ballet.

La scène est à Paris.

Acte premier

L'ouverture se fait par un grand assemblage d'instruments ; et dans le milieu du théâtre on voit un élève du maître de musique qui compose sur une table un air que le Bourgeois a demandé pour une sérénade.

SCÈNE PREMIÈRE. MAÎTRE DE MUSIQUE, MAÎTRE À DANSER, TROIS MUSICIENS, DEUX VIOLONS, QUATRE DANSEURS.

MAÎTRE DE MUSIQUE, *parlant à ses musiciens.* Venez, entrez dans cette salle, et vous reposez là, en attendant qu'il[1] vienne.

MAÎTRE À DANSER, *parlant aux danseurs.* Et vous aussi, de
5 ce côté.

MAÎTRE DE MUSIQUE, *à l'élève.* Est-ce fait ?

L'ÉLÈVE. Oui.

MAÎTRE DE MUSIQUE. Voyons... Voilà qui est bien.

MAÎTRE À DANSER. Est-ce quelque chose de nouveau ?

10 MAÎTRE DE MUSIQUE. Oui, c'est un air pour une sérénade[2]

---

1. *Il* : M. Jourdain.
2. *Sérénade* : pièce de musique faite pour être jouée la nuit et en plein air.

que je lui[1] ai fait composer ici, en attendant que notre homme fût éveillé.

MAÎTRE À DANSER. Peut-on voir ce que c'est ?

MAÎTRE DE MUSIQUE. Vous l'allez entendre, avec le dialogue[2], quand il viendra. Il ne tardera guère.

MAÎTRE À DANSER. Nos occupations, à vous et à moi, ne sont pas petites maintenant.

MAÎTRE DE MUSIQUE. Il est vrai. Nous avons trouvé ici un homme comme il nous le faut à tous deux. Ce nous est une douce rente[3] que ce monsieur Jourdain, avec les visions[4] de noblesse et de galanterie[5] qu'il est allé se mettre en tête. Et votre danse et ma musique auraient à souhaiter que tout le monde lui ressemblât.

MAÎTRE À DANSER. Non pas entièrement ; et je voudrais pour lui qu'il se connût mieux qu'il ne fait aux choses que nous lui donnons.

MAÎTRE DE MUSIQUE. Il est vrai qu'il les connaît mal, mais il les paye bien ; et c'est de quoi maintenant nos arts ont plus besoin que de toute autre chose.

MAÎTRE À DANSER. Pour moi, je vous l'avoue, je me repais un peu de gloire. Les applaudissements me touchent ; et je tiens que, dans tous les beaux-arts, c'est un supplice assez fâcheux que de se produire à des sots, que d'essuyer sur des compositions la barbarie d'un stupide. Il y a plaisir, ne m'en parlez point, à

1. *Lui :* l'élève du maître de musique qui a composé la sérénade.
2. *Dialogue :* composition musicale pour deux ou plusieurs voix accompagnées d'instruments qui se répondent alternativement.
3. *Douce rente :* gain facile.
4. *Visions :* idées folles et chimériques.
5. *Galanterie :* distinction.

travailler pour des personnes qui soient capables de sentir les délicatesses d'un art ; qui sachent faire un doux accueil aux beautés d'un ouvrage et, par de chatouillantes[1] approbations, vous régaler de votre travail.
40 Oui, la récompense la plus agréable qu'on puisse recevoir des choses que l'on fait, c'est de les voir connues, de les voir caressées[2] d'un applaudissement qui vous honore. Il n'y a rien, à mon avis, qui nous paye mieux que cela de toutes nos fatigues ; et ce sont des douceurs
45 exquises que des louanges éclairées[3].

MAÎTRE DE MUSIQUE. J'en demeure d'accord, et je les goûte comme vous. Il n'y a rien assurément qui chatouille davantage que les applaudissements que vous dites ; mais cet encens ne fait pas vivre. Des louanges
50 toutes pures ne mettent point un homme à son aise : il y faut mêler du solide ; et la meilleure façon de louer, c'est de louer avec les mains[4]. C'est un homme, à la vérité, dont les lumières sont petites, qui parle à tort et à travers de toutes choses, et n'applaudit qu'à
55 contresens ; mais son argent redresse les jugements de son esprit. Il a du discernement dans sa bourse. Ses louanges sont monnayées ; et ce bourgeois ignorant nous vaut mieux, comme vous voyez, que le grand seigneur éclairé qui nous a introduits ici.

60 MAÎTRE À DANSER. Il y a quelque chose de vrai dans ce que vous dites ; mais je trouve que vous appuyez un peu trop sur l'argent ; et l'intérêt est quelque chose de

1. *Chatouillantes* : délicatement agréables.
2. *Caressées* : flattées.
3. *Louanges éclairées* : hommages rendus par des personnes qui ont du discernement, du bon goût, des connaissances.
4. *Avec les mains* : en donnant de l'argent.

si bas qu'il ne faut jamais qu'un honnête homme[1] montre pour lui de l'attachement.

65 MAÎTRE DE MUSIQUE. Vous recevez fort bien pourtant l'argent que notre homme vous donne.

MAÎTRE À DANSER. Assurément ; mais je n'en fais pas tout mon bonheur, et je voudrais qu'avec son bien il eût encore quelque bon goût des choses.

70 MAÎTRE DE MUSIQUE. Je le voudrais aussi, et c'est à quoi nous travaillons tous deux autant que nous pouvons. Mais, en tout cas, il nous donne moyen de nous faire connaître dans le monde ; et il payera pour les autres ce que les autres loueront pour lui.

75 MAÎTRE À DANSER. Le voilà qui vient.

1. *Honnête homme :* au XVIIe siècle, homme cultivé et bien élevé.

Acte I Scène 1

COMPRÉHENSION DU TEXTE

1. Comment se révèle progressivement le caractère de M. Jourdain ? À partir de quelle ligne ?

2. Quel est le « grand seigneur éclairé » dont parle le maître de musique ? Pour quelle raison le maître de musique dit-il : « Ce bourgeois ignorant nous vaut mieux, comme vous voyez, que le grand seigneur éclairé qui nous a introduits ici » ?

3. Quel est le thème de la conversation entre le maître de musique et le maître à danser ? Vous montrerez que leurs points de vue s'opposent en résumant avec vos propres mots les arguments avancés par chacun d'eux.

4. Quelles remarques faites-vous sur leur façon de s'exprimer ? Vous montrerez que les deux maîtres de musique et de danse ont un langage de spécialistes. N'oubliez pas de citer des passages précis du texte pour appuyer vos réponses.

5. Comment chacun des deux artistes conçoit-il sa place dans la société ? Faites le portrait de chacun d'eux.

ÉVOLUTION DE L'ACTION

6. Comment Molière prépare-t-il l'entrée de M. Jourdain dans la pièce ? Quel est l'intérêt d'un tel retard ? Quel est l'effet produit sur le spectateur ?

7. La discussion entre le maître de musique et le maître à danser : comment sollicitent-ils, par leurs propos, l'intervention de M. Jourdain ? Sont-ils respectueux à son égard ? Qu'en déduisez-vous pour la suite de l'action ?

8. Cette scène est-elle une « scène d'exposition » ? Cherchez la définition de cette expression dans le dictionnaire et relevez les éléments du texte qui permettent de situer l'action.

SCÈNE 2. MONSIEUR JOURDAIN, *en robe de chambre et bonnet de nuit,* DEUX LAQUAIS, MAÎTRE DE MUSIQUE, MAÎTRE À DANSER, VIOLONS, MUSICIENS ET DANSEURS.

MONSIEUR JOURDAIN. Hé bien, messieurs ? Qu'est-ce ? Me ferez-vous voir votre petite drôlerie[1] ?

MAÎTRE À DANSER. Comment ? Quelle petite drôlerie ?

MONSIEUR JOURDAIN. Eh ! là... Comment appelez-vous cela ? Votre prologue, ou dialogue de chansons et de danse.

MAÎTRE À DANSER. Ah ! Ah !

MAÎTRE DE MUSIQUE. Vous nous y voyez préparés.

MONSIEUR JOURDAIN. Je vous ai fait un peu attendre, mais c'est que je me fais habiller aujourd'hui comme les gens de qualité[2], et mon tailleur m'a envoyé des bas de soie[3] que j'ai pensé ne mettre jamais.

MAÎTRE DE MUSIQUE. Nous ne sommes ici que pour attendre votre loisir[4].

MONSIEUR JOURDAIN. Je vous prie tous deux de ne vous point en aller qu'on ne m'ait apporté[5] mon habit, afin que vous me puissiez voir.

MAÎTRE À DANSER. Tout ce qu'il vous plaira.

---

1. *Drôlerie :* divertissement bouffon.
2. *Gens de qualité :* les personnes nobles arboraient des vêtements de couleur alors que les bourgeois étaient vêtus de gris ou de noir.
3. *Bas de soie :* vêtement fort luxueux pour l'époque.
4. *Loisir :* le moment où vous serez disponible.
5. *Qu'on ne m'ait apporté :* avant qu'on ne m'ait apporté.

MONSIEUR JOURDAIN. Vous me verrez équipé[1] comme
20 il faut, depuis les pieds jusqu'à la tête.

MAÎTRE DE MUSIQUE. Nous n'en doutons point.

MONSIEUR JOURDAIN. Je me suis fait faire cette indienne-ci[2].

MAÎTRE À DANSER. Elle est fort belle.

25 MONSIEUR JOURDAIN. Mon tailleur m'a dit que les gens de qualité étaient comme cela le matin.

MAÎTRE DE MUSIQUE. Cela vous sied à merveille.

MONSIEUR JOURDAIN. Laquais, holà ! mes deux laquais.

PREMIER LAQUAIS. Que voulez-vous, monsieur ?

30 MONSIEUR JOURDAIN. Rien. C'est pour voir si vous m'entendez bien. *(Aux deux maîtres.)* Que dites-vous de mes livrées[3] ?

MAÎTRE À DANSER. Elles sont magnifiques.

MONSIEUR JOURDAIN. *(Il entrouvre sa robe et fait voir un*
35 *haut-de-chausses[4] étroit de velours rouge, et une camisole de velours vert, dont il est vêtu.)* Voici encore un petit déshabillé pour faire le matin mes exercices.

MAÎTRE DE MUSIQUE. Il est galant[5].

MONSIEUR JOURDAIN. Laquais !

40 PREMIER LAQUAIS. Monsieur ?

MONSIEUR JOURDAIN. L'autre laquais !

SECOND LAQUAIS. Monsieur ?

---

1. *Équipé* : habillé.
2. *Indienne* : étoffe de grand prix, importée des Indes.
3. *Livrées* : costumes que portaient les laquais, uniformes.
4. *Haut-de-chausses* : sorte de pantalon s'arrêtant aux genoux.
5. *Galant* : ici, élégant, distingué.

Monsieur Jourdain, *ôtant sa robe de chambre.* Tenez ma robe. *(Aux deux maîtres.)* Me trouvez-vous bien comme cela ?

Maître à danser. Fort bien. On ne peut pas mieux.

Monsieur Jourdain. Voyons un peu votre affaire[1].

Maître de musique. Je voudrais bien auparavant vous faire entendre un air *(montrant son élève)* qu'il vient de composer pour la sérénade que vous m'avez demandée. C'est un de mes écoliers[2] qui a pour ces sortes de choses un talent admirable.

Monsieur Jourdain. Oui, mais il ne fallait pas faire faire cela par un écolier ; et vous n'étiez pas trop bon vous-même pour cette besogne-là.

Maître de musique. Il ne faut pas, monsieur, que le nom d'écolier vous abuse. Ces sortes d'écoliers en savent autant que les plus grands maîtres, et l'air est aussi beau qu'il s'en puisse faire. Écoutez seulement.

Monsieur Jourdain, *à ses laquais.* Donnez-moi ma robe pour mieux entendre... Attendez, je crois que je serai mieux sans robe... Non, redonnez-la-moi, cela ira mieux.

Musicien *chantant.*

Je languis nuit et jour, et mon mal est extrême,
Depuis qu'à vos rigueurs vos beaux yeux m'ont soumis :
Si vous traitez ainsi, belle Iris, qui vous aime,
Hélas ! que pourriez-vous faire à vos ennemis ?

Monsieur Jourdain. Cette chanson me semble un peu lugubre, elle endort, et je voudrais que vous la pussiez un peu ragaillardir par-ci par-là.

1. *Affaire* : entreprise de peu d'importance.
2. *Écolier* : élève, mais M. Jourdain l'entend dans le sens d'apprenti.

MAÎTRE DE MUSIQUE. Il faut, monsieur, que l'air soit accommodé aux paroles[1].

MONSIEUR JOURDAIN. On m'en apprit un tout à fait joli, il y a quelque temps. Attendez... Là... Comment est-ce
75 qu'il dit ?

MAÎTRE À DANSER. Par ma foi, je ne sais.

MONSIEUR JOURDAIN. Il y a du mouton dedans.

MAÎTRE À DANSER. Du mouton ?

MONSIEUR JOURDAIN. Oui. Ah ! *(M. Jourdain chante.)*

80 Je croyais Jeanneton
Aussi douce que belle ;
Je croyais Jeanneton
Plus douce qu'un mouton.
Hélas ! Hélas !
85 Elle est cent fois, mille fois plus cruelle
Que n'est le tigre aux bois.

N'est-il pas joli ?

MAÎTRE DE MUSIQUE. Le plus joli du monde.

MAÎTRE À DANSER. Et vous le chantez bien.

90 MONSIEUR JOURDAIN. C'est sans avoir appris la musique.

MAÎTRE DE MUSIQUE. Vous devriez l'apprendre, monsieur, comme vous faites la danse. Ce sont deux arts qui ont une étroite liaison ensemble.

MAÎTRE À DANSER. Et qui ouvrent l'esprit d'un homme
95 aux belles choses.

---

1. *Que l'air ... paroles* : l'école française de musique (dont Lulli allait être le premier représentant) attachait une certaine importance aux paroles, contrairement à l'école italienne.

MONSIEUR JOURDAIN. Est-ce que les gens de qualité apprennent aussi la musique ?

MAÎTRE DE MUSIQUE. Oui, monsieur.

MONSIEUR JOURDAIN. Je l'apprendrai donc. Mais je ne
100 sais quel temps je pourrai prendre : car, outre le maître d'armes qui me montre, j'ai arrêté encore un maître de philosophie qui doit commencer ce matin.

MAÎTRE DE MUSIQUE. La philosophie est quelque chose ; mais la musique, monsieur, la musique...

105 MAÎTRE À DANSER. La musique et la danse... La musique et la danse, c'est là tout ce qu'il faut.

MAÎTRE DE MUSIQUE. Il n'y a rien qui soit si utile dans un État que la musique[1].

MAÎTRE À DANSER. Il n'y a rien qui soit si nécessaire
110 aux hommes que la danse[2].

MAÎTRE DE MUSIQUE. Sans la musique, un État ne peut subsister.

MAÎTRE À DANSER. Sans la danse, un homme ne saurait rien faire.

115 MAÎTRE DE MUSIQUE. Tous les désordres, toutes les guerres qu'on voit dans le monde n'arrivent que pour n'apprendre pas la musique.

MAÎTRE À DANSER. Tous les malheurs des hommes, tous les revers funestes dont les histoires sont remplies, les
120 bévues des politiques et les manquements des grands

1. Cette idée se trouve déjà chez les auteurs de l'Antiquité grecque et a été reprise par les humanistes, à la Renaissance.
2. *La danse* : l'art de la danse est considéré à l'époque comme l'un des plus utiles à la noblesse.

capitaines, tout cela n'est venu que faute de savoir danser.

MONSIEUR JOURDAIN. Comment cela ?

MAÎTRE DE MUSIQUE. La guerre ne vient-elle pas d'un
125 manque d'union entre les hommes ?

MONSIEUR JOURDAIN. Cela est vrai.

MAÎTRE DE MUSIQUE. Et, si tous les hommes apprenaient la musique, ne serait-ce pas le moyen de s'accorder ensemble, et de voir dans le monde la paix
130 universelle ?

MONSIEUR JOURDAIN. Vous avez raison.

MAÎTRE À DANSER. Lorsqu'un homme a commis un manquement dans sa conduite, soit aux affaires de sa famille, ou au gouvernement d'un État, ou au
135 commandement d'une armée, ne dit-on pas toujours : « Un tel a fait un mauvais pas dans une telle affaire » ?

MONSIEUR JOURDAIN. Oui, on dit cela.

MAÎTRE À DANSER. Et faire un mauvais pas peut-il
140 procéder d'autre chose que de ne savoir pas danser ?

MONSIEUR JOURDAIN. Cela est vrai, et vous avez raison tous deux.

MAÎTRE À DANSER. C'est pour vous faire voir l'excellence et l'utilité de la danse et de la musique.

145 MONSIEUR JOURDAIN. Je comprends cela, à cette heure.

MAÎTRE DE MUSIQUE. Voulez-vous voir nos deux affaires ?

MONSIEUR JOURDAIN. Oui.

MAÎTRE DE MUSIQUE. Je vous l'ai déjà dit, c'est un petit essai que j'ai fait autrefois des diverses passions que
150 peut exprimer la musique.

MONSIEUR JOURDAIN. Fort bien.

MAÎTRE DE MUSIQUE, *aux musiciens.* Allons, avancez. *(À M. Jourdain.)* Il faut vous figurer qu'ils sont habillés en bergers.

155 MONSIEUR JOURDAIN. Pourquoi toujours des bergers[1] ? On ne voit que cela partout.

MAÎTRE À DANSER. Lorsqu'on a des personnes à faire parler en musique, il faut bien que pour la vraisemblance on donne dans la bergerie. Le chant a été de tout
160 temps affecté aux bergers ; et il n'est guère naturel en dialogue que des princes ou des bourgeois chantent leurs passions.

MONSIEUR JOURDAIN. Passe, passe. Voyons.

DIALOGUE EN MUSIQUE
UNE MUSICIENNE ET DEUX MUSICIENS

MUSICIENNE

Un cœur, dans l'amoureux empire,
165 De mille soins[2] est toujours agité :
On dit qu'avec plaisir on languit, on soupire ;
Mais quoi qu'on puisse dire,
Il n'est rien de si doux que notre liberté.

PREMIER MUSICIEN

Il n'est rien de si doux que les tendres ardeurs
170 Qui font vivre deux cœurs
Dans une même envie :
On ne peut être heureux sans amoureux désirs ;
Ôtez l'amour de la vie,
Vous en ôtez les plaisirs.

1. *Des bergers* : il existe, à l'époque, un engouement pour les chansons et les danses de bergers (les pastorales).
2. *Soins* : soucis.

SECOND MUSICIEN

175 Il serait doux d'entrer sous l'amoureuse loi,
Si l'on trouvait en amour de la foi,
Mais, hélas ! ô rigueur cruelle !
On ne voit point de bergère fidèle ;
Et ce sexe inconstant trop indigne du jour,
180 Doit faire pour jamais renoncer à l'amour.

PREMIER MUSICIEN

Aimable ardeur ;

MUSICIENNE

Franchise heureuse !

SECOND MUSICIEN

Sexe trompeur !

PREMIER MUSICIEN

Que tu m'es précieuse !

MUSICIENNE

185 Que tu plais à mon cœur !

SECOND MUSICIEN

Que tu me fais d'horreur !

PREMIER MUSICIEN

Ah ! quitte, pour aimer,
Cette haine mortelle !

MUSICIENNE

On peut, on peut te montrer
190 Une bergère fidèle.

SECOND MUSICIEN

Hélas ! où la rencontrer ?

MUSICIENNE

Pour défendre notre gloire,
Je te veux offrir mon cœur.

SECOND MUSICIEN

Mais bergère, puis-je croire
195 Qu'il ne sera point trompeur ?

MUSICIENNE

Voyons par expérience
Qui des deux aimera mieux.

SECOND MUSICIEN

Qui manquera de constance,
Le puissent perdre les dieux !

Bergers se reposant.
Gravure de Stella, XVIIe siècle.
Bibliothèque des Arts décoratifs, Paris.

TOUS TROIS ENSEMBLE

200 À des ardeurs si belles
Laissons-nous enflammer ;
Ah ! qu'il est doux d'aimer,
Quand deux cœurs sont fidèles.

MONSIEUR JOURDAIN. Est-ce tout ?

205 MAÎTRE DE MUSIQUE. Oui.

MONSIEUR JOURDAIN. Je trouve cela bien troussé[1] ; et il y a là-dedans de petits dictons assez jolis.

MAÎTRE À DANSER. Voici, pour mon affaire, un petit essai des plus beaux mouvements et des plus belles attitudes
210 dont une danse puisse être variée.

MONSIEUR JOURDAIN. Sont-ce encore des bergers ?

MAÎTRE À DANSER. C'est ce qu'il vous plaira. *(Aux danseurs.)* Allons.

ENTRÉE DE BALLET

(Quatre danseurs exécutent tous les mouvements différents et toutes les sortes de pas que le maître à danser leur commande ; et cette danse fait le premier intermède.)

1. *Troussé* : fait, tourné.

Acte I Scène 2

COMPRÉHENSION DU TEXTE

1. La condition sociale de M. Jourdain. Dès l'entrée du Bourgeois, quelle indication donne de suite le mot « drôlerie » sur son caractère et sa culture ?
Commentez, au milieu de la scène, l'expression « Voyons un peu votre affaire ».
Relevez d'autres expressions révélatrices de la condition sociale de M. Jourdain.

2. Quel genre de chant M. Jourdain semble-t-il apprécier ? Ses goûts musicaux doivent-ils choquer les deux maîtres ? Le public aristocratique de l'époque ? Justifiez vos réponses. Quels sont ces « petits dictons assez jolis » ou mots plaisants que M. Jourdain apprécie dans la sérénade ?

3. Pensez-vous que Molière veuille vraiment ridiculiser les goûts de son personnage face à l'art savant et raffiné défendu par les deux maîtres ? Argumentez en vous appuyant sur le texte.

4. Comment les deux maîtres s'y prennent-ils pour se moquer de M. Jourdain sans qu'il s'en aperçoive ? Montrez leur habileté.

LE COMIQUE

5. L'apparition de M. Jourdain au début de la scène est-elle drôle ? Pourquoi ?

6. À quels moments rions-nous dans la scène 2 ?

7. Dites pour quelles raisons le personnage de M. Jourdain nous fait rire à travers son langage, son caractère, ses gestes, ses mimiques, son costume.

8. Mettez en évidence l'aspect caricatural du personnage de M. Jourdain.

9. Les sources du comique. Dégagez, dans l'éloge alterné de la danse et de la musique, les différentes formes de comique :
a. Chacun des deux maîtres fait une véritable caricature de son art. Montrez-le à travers leur langage et leurs gestes.
b. Le comique de répétition : le maître à danser reprend en écho les idées du maître de musique. Citez les passages du texte et étudiez dans le détail la forme des phrases.
c. Le comique de caractère : quelle préoccupation semble animer le maître à danser ?

10. Dans l'expression « Donnez-moi ma robe pour mieux entendre » (l. 60), de quel comique s'agit-il ?

Sur l'ensemble de l'acte I

11. L'action a-t-elle avancé ? Ne s'agit-il pas de préparatifs en vue d'une cérémonie future ? La scène 2 ne sert-elle pas à annoncer le déroulement des scènes à venir ?

12. M. Jourdain : son entrée en scène. Le personnage vous est-il sympathique ? Justifiez votre réponse.

13. Vous ferez une liste des défauts et des qualités qui apparaissent en lui.

14. Pourquoi Molière ridiculise-t-il son personnage ? Pourquoi l'a-t-il appelé « le Bourgeois gentilhomme » ?

M. Jourdain au Théâtre national de Chaillot
joué et mis en scène par Jérôme Savary, 1989.

Acte II

SCÈNE PREMIÈRE. MONSIEUR JOURDAIN, MAÎTRE DE MUSIQUE, MAÎTRE À DANSER, LAQUAIS.

MONSIEUR JOURDAIN. Voilà qui n'est point sot, et ces gens-là se trémoussent[1] bien.

MAÎTRE DE MUSIQUE. Lorsque la danse sera mêlée avec la musique, cela fera plus d'effet encore, et vous verrez quelque chose de galant dans le petit ballet que nous avons ajusté pour vous.

MONSIEUR JOURDAIN. C'est pour tantôt au moins ; et la personne pour qui j'ai fait faire tout cela me doit faire l'honneur de venir dîner céans[2].

MAÎTRE À DANSER. Tout est prêt.

MAÎTRE DE MUSIQUE. Au reste, monsieur, ce n'est pas assez, il faut qu'une personne comme vous, qui êtes magnifique[3] et qui avez de l'inclination pour les belles choses, ait un concert de musique chez soi tous les mercredis, ou tous les jeudis.

MONSIEUR JOURDAIN. Est-ce que les gens de qualité en ont ?

MAÎTRE DE MUSIQUE. Oui, monsieur.

---

1. *Se trémoussent :* s'agitent d'un mouvement rapide et saccadé.
2. *Dîner céans :* déjeuner à la maison.
3. *Magnifique :* dont les dépenses sont somptuaires, qui dépense sans compter.

MONSIEUR JOURDAIN. J'en aurai donc. Cela sera-t-il
20 beau ?

MAÎTRE DE MUSIQUE. Sans doute. Il vous faudra trois voix, un dessus, une haute-contre et une basse, qui seront accompagnées d'une basse de viole, d'un téorbe et d'un clavecin pour les basses continues, avec deux
25 dessus de violon pour jouer les ritournelles[1].

MONSIEUR JOURDAIN. Il y faudra mettre aussi une trompette marine [2]. La trompette marine est un instrument qui me plaît, et qui est harmonieux.

MAÎTRE DE MUSIQUE. Laissez-nous gouverner les choses.

30 MONSIEUR JOURDAIN. Au moins, n'oubliez pas tantôt de m'envoyer des musiciens pour chanter à table.

MAÎTRE DE MUSIQUE. Vous aurez tout ce qu'il vous faut.

MONSIEUR JOURDAIN. Mais surtout que le ballet soit beau.

35 MAÎTRE DE MUSIQUE. Vous en serez content, et, entre autres choses, de certains menuets[3] que vous y verrez.

MONSIEUR JOURDAIN. Ah ! les menuets sont ma danse, et je veux que vous me les voyiez danser. Allons, mon maître.

40 MAÎTRE À DANSER. Un chapeau, monsieur, s'il vous plaît. *(M. Jourdain va prendre le chapeau de son laquais et le met*

---

1. *Un dessus* : un ténor ; *une haute-contre* : voix d'homme semblable à un soprano ; *une basse de viole* : un grand violon à sept cordes ; *un téorbe* : sorte de luth (ancêtre de la guitare) à six cordes ou plus ; *un clavecin* : instrument à clavier, ancêtre du piano ; un *dessus de violon* : violon au timbre le plus aigu ; des *ritournelles* : petits motifs musicaux qui précédaient ou suivaient les morceaux chantés.
2. *Trompette marine* : sorte de mandoline au son rude.
3. *Menuets* : danses à trois temps, d'origine populaire et gracieuses.

par-dessus son bonnet de nuit. Son maître lui prend les mains et le fait danser sur un air de menuet qu'il chante.) La, la, la ; — La, la, la, la, la, la ; — La, la, la, *bis ;* — La,
45 la, la ; — La, la. En cadence, s'il vous plaît. La, la, la, la. La jambe droite. La, la, la. Ne remuez point tant les épaules. La, la, la, la, la ; — La, la, la, la, la. Vos deux bras sont estropiés. La, la, la, la, la. Haussez la tête. Tournez la pointe du pied en dehors. La, la, la.
50 Dressez votre corps.

MONSIEUR JOURDAIN. Euh ?

MAÎTRE DE MUSIQUE. Voilà qui est le mieux du monde.

MONSIEUR JOURDAIN. À propos. Apprenez-moi comme il faut faire une révérence pour saluer une marquise ;
55 j'en aurai besoin tantôt.

MAÎTRE À DANSER. Une révérence pour saluer une marquise ?

MONSIEUR JOURDAIN. Oui, une marquise qui s'appelle Dorimène.

60 MAÎTRE À DANSER. Donnez-moi la main.

MONSIEUR JOURDAIN. Non. Vous n'avez qu'à faire, je le retiendrai bien.

MAÎTRE À DANSER. Si vous voulez la saluer avec beaucoup de respect, il faut faire d'abord une révérence en arrière,
65 puis marcher vers elle avec trois révérences en avant, et à la dernière vous baisser jusqu'à ses genoux.

MONSIEUR JOURDAIN. Faites un peu. *(Après que le maître à danser a fait trois révérences.)* Bon !

LE LAQUAIS. Monsieur, voilà votre maître d'armes qui
70 est là.

MONSIEUR JOURDAIN. Dis-lui qu'il entre ici pour me donner leçon. *(Au maître de musique et au maître à danser.)* Je veux que vous me voyiez faire.

SCÈNE 2. MAÎTRE D'ARMES, MAÎTRE DE MUSIQUE, MAÎTRE À DANSER, MONSIEUR JOURDAIN, UN LAQUAIS, *tenant deux fleurets.*

MAÎTRE D'ARMES, *après avoir pris les deux fleurets de la main du laquais et en avoir présenté un à M. Jourdain.* Allons, monsieur, la révérence[1]. Votre corps droit. Un peu penché sur la cuisse gauche. Les jambes point tant
5 écartées. Vos pieds sur une même ligne. Votre poignet à l'opposite[2] de votre hanche. La pointe de votre épée vis-à-vis de votre épaule. Le bras pas tout à fait si étendu. La main gauche à la hauteur de l'œil. L'épaule gauche plus quartée[3]. La tête droite. Le regard assuré.
10 Avancez. Le corps ferme. Touchez-moi, l'épée de quarte, et achevez de même. Une, deux. Remettez-vous. Redoublez de pied ferme. Une, deux. Un saut en arrière. Quand vous portez la botte[4], monsieur, il faut que l'épée parte la première, et que le corps soit bien effacé.
15 Une, deux. Allons, touchez-moi, l'épée de tierce, et achevez de même. Avancez. Le corps ferme. Avancez. Partez de là. Une, deux. Remettez-vous. Redoublez. Une, deux. Un saut en arrière. En garde, monsieur, en garde !
(Le maître d'armes lui pousse deux ou trois bottes en lui disant : « En garde ! »)

1. *Révérence* : le « salut aux armes », différent de la révérence qu'on fait devant des personnes de qualité.
2. *À l'opposite* : à la hauteur de.
3. *Quartée* : la *quarte* comme plus loin la *tierce* désignent, à l'escrime, deux façons d'attaquer différentes selon la position de la main sur le fleuret.
4. *Porter la botte* : porter un coup avec le fleuret.

20 MONSIEUR JOURDAIN. Euh ?

MAÎTRE DE MUSIQUE. Vous faites des merveilles.

MAÎTRE D'ARMES. Je vous l'ai déjà dit ; tout le secret des armes ne consiste qu'en deux choses : à donner et à ne point recevoir ; et, comme je vous fis voir l'autre 25 jour par raison démonstrative[1], il est impossible que vous receviez, si vous savez détourner l'épée de votre ennemi de la ligne de votre corps ; ce qui ne dépend seulement que d'un petit mouvement de poignet, ou en dedans ou en dehors.

30 MONSIEUR JOURDAIN. De cette façon donc, un homme, sans avoir du cœur[2], est sûr de tuer son homme et de n'être point tué ?

MAÎTRE D'ARMES. Sans doute. N'en vîtes-vous pas la démonstration ?

35 MONSIEUR JOURDAIN. Oui.

MAÎTRE D'ARMES. Et c'est en quoi l'on voit de quelle considération, nous autres, nous devons être dans un État, et combien la science des armes l'emporte hautement sur toutes les autres sciences inutiles, comme 40 la danse, la musique, la...

MAÎTRE À DANSER. Tout beau [3], monsieur le tireur d'armes. Ne parlez de la danse qu'avec respect.

MAÎTRE DE MUSIQUE. Apprenez, je vous prie, à mieux traiter l'excellence de la musique.

---

1. *Raison démonstrative :* terme de rhétorique (l'art de bien s'exprimer), surprenant de la part d'un maître d'armes.
2. *Cœur :* courage.
3. *Tout beau :* doucement, parlez de façon moins assurée (langue soutenue, à l'époque).

MAÎTRE D'ARMES. Vous êtes de plaisantes gens, de vouloir comparer vos sciences à la mienne !

MAÎTRE À DANSER. Voyez un peu l'homme d'importance !

MAÎTRE DE MUSIQUE. Voilà un plaisant animal avec son plastron !

MAÎTRE D'ARMES. Mon petit maître à danser, je vous ferais danser comme il faut. Et vous, mon petit musicien, je vous ferais chanter de la belle manière.

MAÎTRE À DANSER. Monsieur le batteur de fer, je vous apprendrai votre métier.

MONSIEUR JOURDAIN, *au maître à danser.* Êtes-vous fou de l'aller quereller, lui qui entend la tierce et la quarte, et qui sait tuer un homme par raison démonstrative ?

MAÎTRE À DANSER. Je me moque de sa raison démonstrative, et de sa tierce, et de sa quarte.

MONSIEUR JOURDAIN, *au maître à danser.* Tout doux, vous dis-je.

MAÎTRE D'ARMES, *au maître à danser.* Comment ? petit impertinent !

MONSIEUR JOURDAIN. Eh ! mon maître d'armes.

MAÎTRE À DANSER, *au maître d'armes.* Comment ? grand cheval de carrosse[1] !

MONSIEUR JOURDAIN. Eh ! mon maître à danser.

MAÎTRE D'ARMES. Si je me jette sur vous...

MONSIEUR JOURDAIN, *au maître d'armes.* Doucement.

---

1. *Cheval de carrosse :* bête, brutal et lourd comme un cheval de trait.

MAÎTRE À DANSER. Si je mets sur vous la main...

MONSIEUR JOURDAIN, *au maître à danser.* Tout beau.

MAÎTRE D'ARMES. Je vous étrillerai d'un air...

MONSIEUR JOURDAIN, *au maître d'armes.* De grâce...

75 MAÎTRE À DANSER. Je vous rosserai d'une manière...

MONSIEUR JOURDAIN, *au maître à danser.* Je vous prie...

MAÎTRE DE MUSIQUE. Laissez-nous un peu lui apprendre à parler.

MONSIEUR JOURDAIN, *au maître de musique.* Mon Dieu,
80 arrêtez-vous.

Acte II Scènes 1 et 2

COMPRÉHENSION DU TEXTE

1. Qu'apprenons-nous de nouveau sur le caractère du maître de musique ?

2. Comment se manifeste l'accord des deux maîtres de musique et de danse ? Comment l'expliquez-vous (sc. 1) ?

3. Caractérisez le langage du maître d'armes en citant des expressions révélatrices. Contribue-t-il au comique de la scène (sc. 2) ? Quel profit M. Jourdain pense-t-il retirer de la pratique des armes ?

4. Comparez le maître d'armes aux maîtres de musique et de danse. En quoi diffèrent-ils (sc. 2) ?

LE COMIQUE

5. En vous aidant des questions qui suivent, dégagez les procédés comiques utilisés par Molière.
a. Le comique de caractère : quel personnage M. Jourdain rêve-t-il d'être ? Montrez la sotte vanité des trois maîtres.
b. Le comique de gestes : citez les passages où le comique de gestes prend toute son importance. Commentez.
c. Le comique de mots : quelles sont les répliques qui vous font rire ? Dites pourquoi.

ÉVOLUTION DE L'ACTION

6. Les personnages en scène sont les mêmes qu'à la fin de l'acte I. Dans quelle mesure cette continuité des deux actes vous paraît-elle se justifier ?

7. Quel est le point de départ de la querelle dans la scène 2 ? Étudiez sa progression : montrez que chacun prend d'abord la défense de son art, que l'on passe ensuite à des injures, enfin à des menaces. Commentez notamment l'emploi du conditionnel par le maître d'armes (lignes 51 à 53).

SCÈNE 3. MAÎTRE DE PHILOSOPHIE, MAÎTRE DE MUSIQUE, MAÎTRE À DANSER, MAÎTRE D'ARMES, MONSIEUR JOURDAIN, LAQUAIS.

MONSIEUR JOURDAIN. Holà ! monsieur le philosophe, vous arrivez tout à propos avec votre philosophie. Venez un peu mettre la paix entre ces personnes-ci.

MAÎTRE DE PHILOSOPHIE. Qu'est-ce donc ? Qu'y a-t-il,
5 messieurs ?

MONSIEUR JOURDAIN. Ils se sont mis en colère pour la préférence[1] de leurs professions, jusqu'à se dire des injures et vouloir en venir aux mains.

MAÎTRE DE PHILOSOPHIE. Hé quoi ! messieurs, faut-il
10 s'emporter de la sorte ? et n'avez-vous point lu le docte traité que Sénèque[2] a composé de la colère ? Y a-t-il rien de plus bas et de plus honteux que cette passion, qui fait d'un homme une bête féroce ? Et la raison ne doit-elle pas être maîtresse de tous nos mouvements ?

15 MAÎTRE À DANSER. Comment ! Monsieur, il vient nous dire des injures à tous deux, en méprisant la danse, que j'exerce, et la musique, dont il fait profession.

MAÎTRE DE PHILOSOPHIE. Un homme sage est au-dessus de toutes les injures qu'on lui peut dire ; et la grande
20 réponse qu'on doit faire aux outrages, c'est la modération et la patience.

1. *Préférence* : supériorité.
2. *Sénèque* : philosophe de l'Antiquité romaine (2 av. J.-C.-65 apr. J.-C.) qui écrivit *De ira (Sur la colère)*.

MAÎTRE D'ARMES. Ils ont tous d'eux l'audace de vouloir comparer leurs professions à la mienne.

MAÎTRE DE PHILOSOPHIE. Faut-il que cela vous émeuve ?
25 Ce n'est pas de vaine gloire et de condition[1] que les hommes doivent disputer[2] entre eux ; et ce qui nous distingue parfaitement les uns des autres, c'est la sagesse et la vertu.

MAÎTRE À DANSER. Je lui soutiens que la danse est une
30 science à laquelle on ne peut faire assez d'honneur.

MAÎTRE DE MUSIQUE. Et moi, que la musique en est une que tous les siècles ont révérée.

MAÎTRE D'ARMES. Et moi, je leur soutiens à tous deux que la science de tirer des armes est la plus belle et la
35 plus nécessaire de toutes les sciences.

MAÎTRE DE PHILOSOPHIE. Et que sera donc la philosophie ? Je vous trouve tous trois bien impertinents de parler devant moi avec cette arrogance, et de donner impudemment le nom de science à des choses que l'on
40 ne doit pas même honorer du nom d'art, et qui ne peuvent être comprises que sous le nom de métier misérable de gladiateur, de chanteur et de baladin !

MAÎTRE D'ARMES. Allez, philosophe de chien !

MAÎTRE DE MUSIQUE. Allez, bélître[3] de pédant !

45 MAÎTRE À DANSER. Allez, cuistre fieffé[4] !

---

1. *Condition :* rang ou manière d'être déterminés par la profession ou la naissance.
2. *Disputer :* discuter.
3. *Bélître :* coquin, homme de rien (terme injurieux).
4. *Fieffé :* indique qu'on possède un défaut au plus haut degré, qu'on en est esclave comme d'un fief.

M. Jourdain (Jérôme Savary) entre maître de danse (François Borisse)
et maître de musique (André Burton)
dans la mise en scène de Jérôme Savary.
Théâtre national de Chaillot à Paris, 1989.

MAÎTRE DE PHILOSOPHIE. Comment ! marauds que vous êtes...
(Le philosophe se jette sur eux, et tous trois le chargent de coups.)

MONSIEUR JOURDAIN. Monsieur le philosophe !

MAÎTRE DE PHILOSOPHIE. Infâmes ! coquins ! insolents !

50 MONSIEUR JOURDAIN. Monsieur le philosophe !

MAÎTRE D'ARMES. La peste l'animal[1] !

MONSIEUR JOURDAIN. Messieurs.

1. *La peste l'animal* : abréviation de « la peste emporte l'animal ».

MAÎTRE DE PHILOSOPHIE. Impudents !

MONSIEUR JOURDAIN. Monsieur le philosophe !

MAÎTRE À DANSER. Diantre soit de l'âne bâté !

MONSIEUR JOURDAIN. Messieurs.

MAÎTRE DE PHILOSOPHIE. Scélérats !

MONSIEUR JOURDAIN. Monsieur le philosophe !

MAÎTRE DE MUSIQUE. Au diable l'impertinent !

MONSIEUR JOURDAIN. Messieurs.

MAÎTRE DE PHILOSOPHIE. Fripons ! gueux ! traîtres ! imposteurs !

MONSIEUR JOURDAIN. Monsieur le philosophe, messieurs, monsieur le philosophe, messieurs, monsieur le philosophe !... *(Ils sortent en se battant.)* Oh ! battez-vous tant qu'il vous plaira, je n'y saurais que faire, et je n'irai pas gâter ma robe pour vous séparer. Je serais bien fou de m'aller fourrer parmi eux pour recevoir quelque coup qui me ferait mal.

SCÈNE 4. MAÎTRE DE PHILOSOPHIE, MONSIEUR JOURDAIN, DEUX LAQUAIS.

MAÎTRE DE PHILOSOPHIE, *en raccommodant son collet*[1]. Venons à notre leçon.

MONSIEUR JOURDAIN. Ah ! monsieur, je suis fâché des coups qu'ils vous ont donnés.

1. *Collet :* rabat de toile blanche que l'on mettait autour du cou.

5 MAÎTRE DE PHILOSOPHIE. Cela n'est rien. Un philosophe sait recevoir comme il faut les choses, et je vais composer contre eux une satire du style de Juvénal[1], qui les déchirera de la belle façon. Laissons cela. Que voulez-vous apprendre ?

10 MONSIEUR JOURDAIN. Tout ce que je pourrai, car j'ai toutes les envies du monde d'être savant, et j'enrage que mon père et ma mère ne m'aient pas fait bien étudier dans toutes les sciences, quand j'étais jeune.

MAÎTRE DE PHILOSOPHIE. Ce sentiment est raisonnable.
15 *Nam sine doctrina vita est quasi mortis imago.* Vous entendez cela, et vous savez le latin sans doute ?

MONSIEUR JOURDAIN. Oui, mais faites comme si je ne le savais pas. Expliquez-moi ce que cela veut dire.

MAÎTRE DE PHILOSOPHIE. Cela veut dire que sans la science
20 la vie est presque une image de la mort.

MONSIEUR JOURDAIN. Ce latin-là a raison.

MAÎTRE DE PHILOSOPHIE. N'avez-vous point quelques principes, quelques commencements des sciences ?

MONSIEUR JOURDAIN. Oh ! oui, je sais lire et écrire.

25 MAÎTRE DE PHILOSOPHIE. Par où vous plaît-il que nous commencions ? Voulez-vous que je vous apprenne la logique[2] ?

MONSIEUR JOURDAIN. Qu'est-ce que c'est que cette logique ?

30 MAÎTRE DE PHILOSOPHIE. C'est elle qui enseigne les trois opérations de l'esprit.

---

1. *Juvénal* : poète latin (v. 60 - v. 130), auteur de seize *Satires* où sont dépeints les vices de la Rome décadente.
2. *Logique* : partie de la philosophie qui apprend à raisonner.

MONSIEUR JOURDAIN. Qui sont-elles, ces trois opérations de l'esprit ?

MAÎTRE DE PHILOSOPHIE. La première, la seconde et la
35 troisième. La première est de bien concevoir par le moyen des universaux[1] ; la seconde, de bien juger par le moyen des catégories[2] ; et la troisième, de bien tirer une conséquence par le moyen des figures[3]. *Barbara, Celarent, Darii, Ferio, Baralipton*[4], etc.

40 MONSIEUR JOURDAIN. Voilà des mots qui sont trop rébarbatifs. Cette logique-là ne me revient point. Apprenons autre chose qui soit plus joli.

MAÎTRE DE PHILOSOPHIE. Voulez-vous apprendre la morale ?

45 MONSIEUR JOURDAIN. La morale ?

MAÎTRE DE PHILOSOPHIE. Oui.

MONSIEUR JOURDAIN. Qu'est-ce qu'elle dit, cette morale ?

MAÎTRE DE PHILOSOPHIE. Elle traite de la félicité[5], enseigne
50 aux hommes à modérer leurs passions, et...

---

1. *Universaux :* termes que l'on peut appliquer à tous les individus d'une espèce.
2. *Catégories :* Aristote, philosophe grec (v. 384-v. 322 av. J.-C.), distingue dix classes selon lesquelles se répartissent les êtres : substance, quantité, qualité, relation, lieu, temps, situation, avoir, agir, pâtir.
3. *Figures :* dispositions, ordre des trois termes dont est formé le raisonnement appelé « syllogisme » : proposition de départ = généralité (ex. : *tout nombre divisible par 2 est pair*) ; cas particulier (ex. : *34 est divisible par 2*) ; conclusion des deux premiers termes (ex. : *donc 34 est un nombre pair*).
4. Formules mnémotechniques destinées à rappeler les principales dispositions du raisonnement, traditionnelles depuis le Moyen Âge.
5. *Félicité :* bonheur.

MONSIEUR JOURDAIN. Non, laissons cela. Je suis bilieux[1] comme tous les diables ; et, il n'y a morale qui tienne, je me veux mettre en colère tout mon soûl, quand il m'en prend envie.

MAÎTRE DE PHILOSOPHIE. Est-ce la physique[2] que vous voulez apprendre ?

MONSIEUR JOURDAIN. Qu'est-ce qu'elle chante, cette physique ?

MAÎTRE DE PHILOSOPHIE. La physique est celle qui explique les principes des choses naturelles et les propriétés du corps ; qui discourt de la nature des éléments, des métaux, des minéraux, des pierres, des plantes et des animaux, et nous enseigne les causes de tous les météores[3], l'arc-en-ciel, les feux volants[4], les comètes, les éclairs, le tonnerre, la foudre, la pluie, la neige, la grêle, les vents et les tourbillons[5].

MONSIEUR JOURDAIN. Il y a trop de tintamarre là-dedans, trop de brouillamini[6].

MAÎTRE DE PHILOSOPHIE. Que voulez-vous donc que je vous apprenne ?

MONSIEUR JOURDAIN. Apprenez-moi l'orthographe.

MAÎTRE DE PHILOSOPHIE. Très volontiers.

1. *Bilieux :* d'un tempérament emporté, coléreux.
2. *Physique :* au XVIIe siècle, le terme englobe la physique proprement dite, mais aussi la chimie, l'astronomie, la botanique, etc.
3. *Météores :* tous phénomènes qui se passent dans les parties supérieures de l'atmosphère.
4. *Feux volants :* feux follets.
5. *Tourbillons :* tempêtes. Il s'agit ici des mouvements d'une quantité de matière qui tourne autour d'un astre ou d'une planète, selon la théorie du philosophe français Descartes (1596-1650).
6. *Brouillamini :* choses embrouillées, confusion.

MONSIEUR JOURDAIN. Après, vous m'apprendrez l'almanach, pour savoir quand il y a de la lune et
75 quand il n'y en a point.

MAÎTRE DE PHILOSOPHIE. Soit. Pour bien suivre votre pensée et traiter cette matière en philosophe, il faut commencer, selon l'ordre des choses, par une exacte connaissance de la nature des lettres et de la différente
80 manière de les prononcer toutes. Et là-dessus j'ai à vous dire que les lettres sont divisées en voyelles, ainsi dites voyelles parce qu'elles expriment les voix ; et en consonnes, ainsi appelées consonnes parce qu'elles sonnent avec les voyelles, et ne font que marquer les
85 diverses articulations des voix. Il y a cinq voyelles ou voix : A, E, I, O, U.

MONSIEUR JOURDAIN. J'entends tout cela.

MAÎTRE DE PHILOSOPHIE. La voix A se forme en ouvrant fort la bouche : A.

90 MONSIEUR JOURDAIN. A, A, oui.

MAÎTRE DE PHILOSOPHIE. La voix E se forme en rapprochant la mâchoire d'en bas de celle d'en haut : A, E.

MONSIEUR JOURDAIN. A, E ; A, E. Ma foi, oui. Ah !
95 que cela est beau !

MAÎTRE DE PHILOSOPHIE. Et la voix I, en rapprochant encore davantage les mâchoires l'une de l'autre, et écartant les deux coins de la bouche vers les oreilles : A, E, I.

100 MONSIEUR JOURDAIN. A, E, I, I, I, I. Cela est vrai. Vive la science !

MAÎTRE DE PHILOSOPHIE. La voix O se forme en rouvrant les mâchoires et rapprochant les lèvres par les deux coins, le haut et le bas : O.

105 MONSIEUR JOURDAIN. O, O. Il n'y a rien de plus juste. A, E, I, O, I, O. Cela est admirable ! I, O, I, O.

MAÎTRE DE PHILOSOPHIE. L'ouverture de la bouche fait justement comme un petit rond qui représente un O.

MONSIEUR JOURDAIN. O, O, O. Vous avez raison. O.
110 Ah ! la belle chose que de savoir quelque chose !

MAÎTRE DE PHILOSOPHIE. La voix U se forme en rapprochant les dents sans les joindre entièrement, et allongeant les deux lèvres en dehors, les approchant aussi l'une de l'autre sans les joindre tout à fait : U.

115 MONSIEUR JOURDAIN. U, U. Il n'y a rien de plus véritable, U.

MAÎTRE DE PHILOSOPHIE. Vos deux lèvres s'allongent comme si vous faisiez la moue, d'où vient que, si vous la voulez faire à quelqu'un et vous moquer de lui, vous
120 ne sauriez lui dire que U.

MONSIEUR JOURDAIN. U, U. Cela est vrai. Ah ! que n'ai-je étudié plus tôt pour savoir tout cela !

MAÎTRE DE PHILOSOPHIE. Demain, nous verrons les autres lettres, qui sont les consonnes.

125 MONSIEUR JOURDAIN. Est-ce qu'il y a des choses aussi curieuses qu'à celles-ci ?

MAÎTRE DE PHILOSOPHIE. Sans doute. La consonne D, par exemple, se prononce en donnant du bout de la langue au-dessus des dents d'en haut : DA.

130 MONSIEUR JOURDAIN. DA, DA. Oui. Ah ! les belles choses ! les belles choses !

MAÎTRE DE PHILOSOPHIE. L'F, en appuyant les dents d'en haut sur la lèvre de dessous : FA.

MONSIEUR JOURDAIN. FA, FA. C'est la vérité. Ah ! mon
135 père et ma mère, que je vous veux de mal !

Le Bourgeois gentilhomme à la Comédie-Française,
dans une mise en scène de Jean-Laurent Cochet,
avec Jean Le Poulain (M. Jourdain) et Jacques Sereys
(le maître de philosophie), 1980.

MAÎTRE DE PHILOSOPHIE. Et l'R, en portant le bout de la langue jusqu'au haut du palais ; de sorte, qu'étant frôlée par l'air qui sort avec force, elle lui cède et revient toujours au même endroit, faisant une manière de
140 tremblement : R, RA.

MONSIEUR JOURDAIN. R, R, RA ; R, R, R, R, R, RA. Cela est vrai. Ah ! l'habile homme que vous êtes ! et que j'ai perdu de temps ! R, R, R, RA.

MAÎTRE DE PHILOSOPHIE. Je vous expliquerai à fond toutes
145 ces curiosités.

MONSIEUR JOURDAIN. Je vous en prie. Au reste, il faut que je vous fasse une confidence. Je suis amoureux d'une personne de grande qualité, et je souhaiterais que vous m'aidassiez à lui écrire[1] quelque chose dans un
150 petit billet que je veux laisser tomber à ses pieds.

MAÎTRE DE PHILOSOPHIE. Fort bien.

MONSIEUR JOURDAIN. Cela sera galant, oui.

MAÎTRE DE PHILOSOPHIE. Sans doute. Sont-ce des vers que vous lui voulez écrire ?

155 MONSIEUR JOURDAIN. Non, non, point de vers.

MAÎTRE DE PHILOSOPHIE. Vous ne voulez que de la prose ?

MONSIEUR JOURDAIN. Non, je ne veux ni prose ni vers.

MAÎTRE DE PHILOSOPHIE. Il faut bien que ce soit l'un ou
160 l'autre.

MONSIEUR JOURDAIN. Pourquoi ?

1. *À lui écrire :* demande courante à l'époque ; même les gens cultivés faisaient rédiger leurs lettres d'amour par des écrivains professionnels.

MAÎTRE DE PHILOSOPHIE. Par la raison, monsieur, qu'il n'y a pour s'exprimer que la prose ou les vers.

MONSIEUR JOURDAIN. Il n'y a que la prose ou les vers ?

165 MAÎTRE DE PHILOSOPHIE. Non, monsieur : tout ce qui n'est point prose est vers ; et tout ce qui n'est point vers est prose.

MONSIEUR JOURDAIN. Et comme l'on parle, qu'est-ce que c'est donc que cela ?

170 MAÎTRE DE PHILOSOPHIE. De la prose.

MONSIEUR JOURDAIN. Quoi ! quand je dis : « Nicole, apportez-moi mes pantoufles, et me donnez mon bonnet de nuit », c'est de la prose ?

MAÎTRE DE PHILOSOPHIE. Oui, monsieur.

175 MONSIEUR JOURDAIN. Par ma foi ! il y a plus de quarante ans que je dis de la prose sans que j'en susse rien ; et je vous suis le plus obligé du monde de m'avoir appris cela. Je voudrais donc lui mettre dans un billet : « Belle marquise, vos beaux yeux me font mourir d'amour », 180 mais je voudrais que cela fût mis d'une manière galante, que ce fût tourné gentiment[1].

MAÎTRE DE PHILOSOPHIE. Mettre que les feux de ses yeux réduisent votre cœur en cendres ; que vous souffrez nuit et jour pour elle les violences d'un...

185 MONSIEUR JOURDAIN. Non, non, non, je ne veux point tout cela ; je ne veux que ce que je vous ai dit : « Belle marquise, vos beaux yeux me font mourir d'amour. »

1. M. Jourdain souhaite faire rédiger un madrigal (court poème d'amour, alors à la mode) mais ne sait pas le dire.

MAÎTRE DE PHILOSOPHIE. Il faut bien étendre un peu la chose.

190 MONSIEUR JOURDAIN. Non, vous dis-je, je ne veux que ces seules paroles-là dans le billet, mais tournées à la mode, bien arrangées comme il faut. Je vous prie de me dire un peu, pour voir, les diverses manières dont on les peut mettre.

195 MAÎTRE DE PHILOSOPHIE. On les peut mettre premièrement comme vous avez dit : « Belle marquise, vos beaux yeux me font mourir d'amour. » Ou bien : « D'amour mourir me font, belle marquise, vos beaux yeux. » Ou bien : « Vos yeux beaux d'amour me font, belle 200 marquise, mourir. » Ou bien : « Mourir vos beaux yeux, belle marquise, d'amour me font. » Ou bien : « Me font vos yeux beaux mourir, belle marquise, d'amour. »

MONSIEUR JOURDAIN. Mais, de toutes ces façons-là, 205 laquelle est la meilleure ?

MAÎTRE DE PHILOSOPHIE. Celle que vous avez dite : « Belle marquise, vos beaux yeux me font mourir d'amour. »

MONSIEUR JOURDAIN. Cependant je n'ai point étudié, et j'ai fait cela tout du premier coup. Je vous remercie de 210 tout mon cœur, et vous prie de venir demain de bonne heure.

MAÎTRE DE PHILOSOPHIE. Je n'y manquerai pas. *(Il sort.)*

MONSIEUR JOURDAIN, *à son laquais.* Comment, mon habit n'est point encore arrivé ?

215 LE LAQUAIS. Non, monsieur.

MONSIEUR JOURDAIN. Ce maudit tailleur me fait bien attendre pour un jour où j'ai tant d'affaires ! J'enrage.

Que la fièvre quartaine puisse serrer[1] bien fort le bourreau de tailleur ! Au diable le tailleur ! La peste
220 étouffe le tailleur ! Si je le tenais maintenant, ce tailleur détestable, ce chien de tailleur-là, ce traître de tailleur, je...

1. *Puisse serrer :* que la fièvre quarte (dont les accès reviennent au bout de trois jours) s'attaque au tailleur.

Acte II Scènes 3 et 4

COMPRÉHENSION DU TEXTE

1. Caractérisez le langage du maître de philosophie : relevez les phrases interrogatives, les formules de portée générale, les mots inutiles et superflus.

2. L'accueil fait par M. Jourdain au maître de philosophie est-il de même nature que celui qu'il a réservé aux autres maîtres ? Qu'est-ce qu'un philosophe ? Quelle image nous en donne Molière ?

3. Étudiez à la scène 3 l'évolution du discours du maître de philosophie. À partir de quel moment perd-il son langage de philosophe ? À quoi correspond ce changement ? Que peut-on en conclure sur le caractère du personnage ?

4. Quels sont les différents enseignements que le maître de philosophie propose à M. Jourdain ? Quel accueil leur fait successivement celui-ci (sc. 4) ? Pour répondre, vous étudierez de près les réactions de M. Jourdain aux diverses propositions de son maître, et sa façon de les exprimer.

5. M. Jourdain a-t-il tout à fait tort ?
a. Quand il refuse les enseignements que lui propose le maître.
b. Quand il lui demande d'apprendre l'orthographe et l'almanach (l. 71 à 75). Est-il vraiment effrayé par son ignorance ?

6. Pensez-vous que le maître de philosophie soit un bon professeur ? Justifiez votre réponse.

ÉVOLUTION DE L'ACTION

7. Une nouvelle querelle éclate à la scène 3. Comparez-la à celle de la scène 2 : longueur des répliques, rythme, poids des mots, ton, attitude des personnages.

8. Faites le plan de la scène 4. Quels sont les différents moments de cette scène ? Montrez que chaque moment est ponctué par un changement d'attitude et de ton de M. Jourdain.

LE COMIQUE

9. Pourquoi rit-on dans la scène 3 ? Aux dépens de qui ?

10. Dégagez les différentes formes de comique utilisées dans ces deux scènes. Montrez que les effets comiques de la scène 3 prennent leur source dans la scène précédente.

SCÈNE 5. MAÎTRE TAILLEUR, GARÇON TAILLEUR *portant l'habit de M. Jourdain,* MONSIEUR JOURDAIN, LAQUAIS.

MONSIEUR JOURDAIN. Ah ! vous voilà ? Je m'allais mettre en colère contre vous.

MAÎTRE TAILLEUR. Je n'ai pas pu venir plus tôt, et j'ai mis vingt garçons après votre habit.

MONSIEUR JOURDAIN. Vous m'avez envoyé des bas de soie si étroits que j'ai eu toutes les peines du monde à les mettre, et il y a déjà deux mailles de rompues.

MAÎTRE TAILLEUR. Ils ne s'élargiront que trop.

MONSIEUR JOURDAIN. Oui, si je romps toujours des mailles. Vous m'avez aussi fait faire des souliers qui me blessent furieusement[1].

MAÎTRE TAILLEUR. Point du tout, monsieur.

MONSIEUR JOURDAIN. Comment, point du tout !

MAÎTRE TAILLEUR. Non, ils ne vous blessent point.

MONSIEUR JOURDAIN. Je vous dis qu'ils me blessent, moi.

MAÎTRE TAILLEUR. Vous vous imaginez cela.

MONSIEUR JOURDAIN. Je me l'imagine parce que je le sens. Voyez la belle raison !

MAÎTRE TAILLEUR. Tenez, voilà le plus bel habit de la cour, et le mieux assorti. C'est un chef-d'œuvre que d'avoir inventé un habit sérieux qui ne fût pas noir ; et je le donne en six coups[2] aux tailleurs les plus éclairés.

---

1. *Furieusement* : fortement.
2. *En six coups* : je défie de faire en six coups ce que j'ai fait du premier coup (comme au jeu de dés, par exemple).

MONSIEUR JOURDAIN. Qu'est-ce que c'est que ceci ?
25 Vous avez mis les fleurs en enbas[1].

MAÎTRE TAILLEUR. Vous ne m'avez pas dit que vous les vouliez en enhaut.

MONSIEUR JOURDAIN. Est-ce qu'il faut dire cela ?

MAÎTRE TAILLEUR. Oui, vraiment. Toutes les personnes
30 de qualité les portent de la sorte.

MONSIEUR JOURDAIN. Les personnes de qualité portent les fleurs en enbas ?

MAÎTRE TAILLEUR. Oui, monsieur.

MONSIEUR JOURDAIN. Oh ! voilà qui est donc bien.

35 MAÎTRE TAILLEUR. Si vous voulez, je les mettrai en enhaut.

MONSIEUR JOURDAIN. Non, non.

MAÎTRE TAILLEUR. Vous n'avez qu'à dire.

MONSIEUR JOURDAIN. Non, vous dis-je, vous avez bien
40 fait. Croyez-vous que l'habit m'aille bien ?

MAÎTRE TAILLEUR. Belle demande ! Je défie un peintre avec son pinceau de vous faire rien de plus juste. J'ai chez moi un garçon qui, pour monter une ringrave[2], est le plus grand génie du monde ; et un autre qui, pour
45 assembler un pourpoint[3], est le héros de notre temps.

MONSIEUR JOURDAIN. La perruque et les plumes sont-elles comme il faut ?

1. *En enbas :* locution adverbiale du XVIIe siècle, comme *en enhaut.*
2. *Ringrave :* culotte de cheval, très large, mise à la mode par un noble du Rhin.
3. *Pourpoint :* partie de vêtement qui couvre le torse.

MAÎTRE TAILLEUR. Tout est bien.

MONSIEUR JOURDAIN, *en regardant l'habit du tailleur.* Ah !
50 ah ! monsieur le tailleur, voilà de mon étoffe du dernier habit que vous m'avez fait. Je la reconnais bien.

MAÎTRE TAILLEUR. C'est que l'étoffe me sembla si belle que j'en ai voulu lever[1] un habit pour moi.

MONSIEUR JOURDAIN. Oui, mais il ne fallait pas le lever
55 avec le mien.

MAÎTRE TAILLEUR. Voulez-vous mettre votre habit ?

MONSIEUR JOURDAIN. Oui, donnez-le-moi.

MAÎTRE TAILLEUR. Attendez. Cela ne va pas comme cela. J'ai amené des gens pour vous habiller en cadence, et
60 ces sortes d'habits se mettent avec cérémonie. Holà ! entrez, vous autres. Mettez cet habit à monsieur de la manière que vous faites aux personnes de qualité.
(Quatre garçons tailleurs entrent, dont deux lui arrachent le haut-de-chausses de ses exercices, et deux autres la camisole, puis ils lui mettent son habit neuf ; et M. Jourdain se promène entre eux et leur montre son habit pour voir s'il est bien. Le tout à la cadence de toute la symphonie[2].)

GARÇON TAILLEUR. Mon gentilhomme, donnez, s'il vous plaît, aux garçons quelque chose pour boire.

65 MONSIEUR JOURDAIN. Comment m'appelez-vous ?

GARÇON TAILLEUR. Mon gentilhomme.

MONSIEUR JOURDAIN. « Mon gentilhomme ! » Voilà ce que c'est de se mettre en personne de qualité ! Allez-vous-en demeurer toujours habillé en bourgeois, on ne

---

1. *Lever* : prendre et couper dans une pièce d'étoffe.
2. *Symphonie* : concert d'instruments.

70 vous dira point : « Mon gentilhomme. » *(Donnant de l'argent.)* Tenez, voilà pour « Mon gentilhomme ».

GARÇON TAILLEUR. Monseigneur[1], nous vous sommes bien obligés.

MONSIEUR JOURDAIN. « Monseigneur ! » Oh ! oh !
75 « Monseigneur ! » Attendez, mon ami. « Monseigneur » mérite quelque chose, et ce n'est pas une petite parole que « Monseigneur ». Tenez, voilà ce que Monseigneur vous donne.

GARÇON TAILLEUR. Monseigneur, nous allons boire tous
80 à la santé de Votre Grandeur[2].

MONSIEUR JOURDAIN. « Votre Grandeur ! » Oh ! oh ! oh ! Attendez, ne vous en allez pas. À moi « Votre Grandeur » ! *(Bas, à part.)* Ma foi, s'il va jusqu'à l'Altesse[3], il aura toute la bourse. *(Haut.)* Tenez, voilà
85 pour ma Grandeur.

GARÇON TAILLEUR. Monseigneur, nous la remercions très humblement de ses libéralités.

MONSIEUR JOURDAIN. Il a bien fait, je lui allais tout donner.

(Les quatre garçons tailleurs se réjouissent par une danse qui fait le deuxième intermède.)

---

1. *Monseigneur :* titre donné aux gentilshommes de la noblesse.
2. *Votre Grandeur :* titre réservé aux évêques et à quelques seigneurs très importants.
3. *Altesse :* titre donné aux princes et aux souverains.

Acte II Scène 5

COMPRÉHENSION DU TEXTE

1. Sur quel ton s'engage le dialogue à la scène 5 ? Pourquoi M. Jourdain se met-il en colère contre son tailleur ?

2. Comment réagit le tailleur devant M. Jourdain ? Relevez des répliques qui révèlent l'habileté du commerçant.

3. Quels sont les éléments qui montrent que le garçon tailleur est différent de son maître ?

LE COMIQUE

4. Quel est le passage le plus amusant de la scène ? À quoi est dû le comique ?

5. Pourquoi le garçon tailleur ne va-t-il pas jusqu'à prononcer le mot « Altesse » ?

ÉVOLUTION DE L'ACTION

6. Rappelez brièvement les événements importants dans les deux premiers actes. L'action proprement dite est-elle engagée ?

7. Comment Molière, par l'attitude des personnages, par la conduite de chaque scène, a-t-il évité la monotonie ?

Sur l'ensemble de l'acte II

8. Montrez que l'acte II complète le premier acte : personnages nouveaux, jeux de scène, peinture des caractères...

9. Comment M. Jourdain conçoit-il sa formation intellectuelle et artistique ? D'où lui vient ce formidable appétit de connaissances ? Pourquoi le souci qu'il apporte aux vêtements est-il si grand ?

10. Le défilé des personnages secondaires : montrez qu'ils donnent une image de certains milieux sociaux. Par leur réalisme, ne mettent-ils pas en évidence ce qui s'avérera être de plus en plus la « folie » de M. Jourdain ?

Acte III

SCÈNE PREMIÈRE. MONSIEUR JOURDAIN, DEUX LAQUAIS.

MONSIEUR JOURDAIN. Suivez-moi, que j'aille un peu montrer mon habit par la ville ; et surtout ayez soin tous deux de marcher immédiatement sur mes pas, afin qu'on voie bien que vous êtes à moi.

LAQUAIS. Oui, monsieur.

MONSIEUR JOURDAIN. Appelez-moi Nicole, que je lui donne quelques ordres. Ne bougez, la voilà.

SCÈNE 2. NICOLE, MONSIEUR JOURDAIN, DEUX LAQUAIS.

MONSIEUR JOURDAIN. Nicole !

NICOLE. Plaît-il ?

MONSIEUR JOURDAIN. Écoutez.

NICOLE. Hi, hi, hi, hi, hi !

MONSIEUR JOURDAIN. Qu'as-tu à rire ?

NICOLE. Hi, hi, hi, hi, hi, hi !

MONSIEUR JOURDAIN. Que veut dire cette coquine-là ?

NICOLE. Hi, hi, hi ! Comme vous voilà bâti[1] ! Hi, hi, hi !

---

1. *Bâti* : habillé (nuance péjorative). On dirait aujourd'hui « accoutré ».

MONSIEUR JOURDAIN. Comment donc ?

NICOLE. Ah ! ah ! mon Dieu ! Hi, hi, hi, hi, hi !

MONSIEUR JOURDAIN. Quelle friponne est-ce là ? Te moques-tu de moi ?

NICOLE. Nenni, monsieur, j'en serais bien fâchée. Hi, hi, hi, hi, hi, hi !

MONSIEUR JOURDAIN. Je te baillerai[1] sur le nez, si tu ris davantage.

NICOLE. Monsieur, je ne puis pas m'en empêcher. Hi, hi, hi, hi, hi, hi !

MONSIEUR JOURDAIN. Tu ne t'arrêteras pas ?

NICOLE. Monsieur, je vous demande pardon ; mais vous êtes si plaisant que je ne saurais me tenir[2] de rire. Hi, hi, hi !

MONSIEUR JOURDAIN. Mais voyez quelle insolence !

NICOLE. Vous êtes tout à fait drôle comme cela. Hi, hi !

MONSIEUR JOURDAIN. Je te...

NICOLE. Je vous prie de m'excuser. Hi, hi, hi, hi !

MONSIEUR JOURDAIN. Tiens, si tu ris encore le moins du monde, je te jure que je t'appliquerai sur la joue le plus grand soufflet qui se soit jamais donné.

NICOLE. Hé bien, monsieur, voilà qui est fait, je ne rirai plus.

MONSIEUR JOURDAIN. Prends-y bien garde. Il faut que pour tantôt tu nettoies...

---

1. *Baillerai* : donnerai (des coups).
2. *Me tenir* : me retenir.

NICOLE. Hi, hi !

MONSIEUR JOURDAIN. Que tu nettoies comme il faut...

NICOLE. Hi, hi !

MONSIEUR JOURDAIN. Il faut, dis-je, que tu nettoies la
40 salle, et...

NICOLE. Hi, hi !

MONSIEUR JOURDAIN. Encore ?

NICOLE, *tombant à force de rire.* Tenez, monsieur, battez-moi plutôt, et me laissez rire tout mon soûl, cela me
45 fera plus de bien. Hi, hi, hi, hi, hi !

MONSIEUR JOURDAIN. J'enrage !

NICOLE. De grâce, monsieur, je vous prie de me laisser rire. Hi, hi, hi !

MONSIEUR JOURDAIN. Si je te prends...

50 NICOLE. Monsieur... eur, je crèverai... ai, si je ne ris. Hi, hi, hi !

MONSIEUR JOURDAIN. Mais a-t-on jamais vu une pendarde comme celle-là, qui me vient rire insolemment au nez, au lieu de recevoir mes ordres ?

55 NICOLE. Que voulez-vous que je fasse, monsieur ?

MONSIEUR JOURDAIN. Que tu songes, coquine, à préparer ma maison pour la compagnie qui doit venir tantôt.

NICOLE, *se relevant.* Ah ! par ma foi, je n'ai plus envie de rire ; et toutes vos compagnies font tant de désordre
60 céans que ce mot est assez pour me mettre en mauvaise humeur.

MONSIEUR JOURDAIN. Ne dois-je point pour toi fermer ma porte à tout le monde ?

NICOLE. Vous devriez au moins la fermer à certaines
65 gens.

SCÈNE 3. MADAME JOURDAIN, MONSIEUR JOURDAIN, NICOLE, DEUX LAQUAIS.

MADAME JOURDAIN. Ah ! ah ! voici une nouvelle histoire. Qu'est-ce que c'est donc, mon mari, que cet équipage-là ? Vous moquez-vous du monde de vous être fait enharnacher[1] de la sorte ? et avez-vous envie qu'on se
5 raille[2] partout de vous ?

MONSIEUR JOURDAIN. Il n'y a que des sots et des sottes, ma femme, qui se railleront de moi.

MADAME JOURDAIN. Vraiment, on n'a pas attendu jusqu'à cette heure, et il y a longtemps que vos façons de faire
10 donnent à rire à tout le monde.

MONSIEUR JOURDAIN. Qui est donc tout ce monde-là, s'il vous plaît ?

MADAME JOURDAIN. Tout ce monde-là est un monde qui a raison et qui est plus sage que vous. Pour moi,
15 je suis scandalisée de la vie que vous menez. Je ne sais plus ce que c'est que notre maison. On dirait qu'il est céans carême-prenant[3] tous les jours ; et dès le matin, de peur d'y manquer, on y entend des vacarmes de violons ou de chanteurs dont tout le voisinage se trouve
20 incommodé.

NICOLE. Madame parle bien. Je ne saurais plus voir mon ménage propre avec cet attirail de gens que vous

1. *Enharnacher :* accoutrer de manière grotesque, ridicule. (Verbe utilisé d'habitude pour les chevaux qu'on met sous le harnais.)
2. *Se raille :* se moque.
3. *Carême-prenant :* le mardi gras, le carnaval (quand le carême commence, on se déguise).

faites venir chez vous. Ils ont des pieds qui vont chercher de la boue dans tous les quartiers de la ville pour l'apporter ici ; et la pauvre Françoise est presque sur les dents à frotter les planchers que vos biaux maîtres viennent crotter régulièrement tous les jours.

M. Jourdain « enharnaché »,
dans la mise en scène de Jérôme Savary.

MONSIEUR JOURDAIN. Ouais, notre servante Nicole, vous avez le caquet bien affilé[1] pour une paysanne.

MADAME JOURDAIN. Nicole a raison, et son sens est meilleur que le vôtre. Je voudrais bien savoir ce que vous pensez faire d'un maître à danser, à l'âge que vous avez ?

NICOLE. Et d'un grand maître tireur d'armes qui vient, avec ses battements de pieds, ébranler toute la maison, et nous déraciner tous les carriaux de notre salle.

MONSIEUR JOURDAIN. Taisez-vous, ma servante et ma femme.

MADAME JOURDAIN. Est-ce que vous voulez apprendre à danser pour quand vous n'aurez plus de jambes ?

NICOLE. Est-ce que vous avez envie de tuer quelqu'un ?

MONSIEUR JOURDAIN. Taisez-vous, vous dis-je ; vous êtes des ignorantes l'une et l'autre, et vous ne savez pas les prérogatives[2] de tout cela.

MADAME JOURDAIN. Vous devriez bien plutôt songer à marier votre fille, qui est en âge d'être pourvue[3].

MONSIEUR JOURDAIN. Je songerai à marier ma fille quand il se présentera un parti pour elle ; mais je veux songer aussi à apprendre les belles choses.

NICOLE. J'ai encore ouï dire, madame, qu'il a pris aujourd'hui, pour renfort de potage, un maître de philosophie.

---

1. *Le caquet bien affilé :* la langue bien pendue pour raconter n'importe quoi. Le caquet désigne, au sens propre, les gloussements de la poule.
2. *Prérogatives :* ici, avantages (en réalité : privilèges).
3. *Pourvue :* mariée.

MONSIEUR JOURDAIN. Fort bien. Je veux avoir de l'esprit,
55 et savoir raisonner des choses parmi les honnêtes gens.

MADAME JOURDAIN. N'irez-vous point l'un de ces jours au collège vous faire donner le fouet, à votre âge ?

MONSIEUR JOURDAIN. Pourquoi non ? Plût à Dieu l'avoir tout à l'heure[1], le fouet, devant tout le monde, et savoir
60 ce qu'on apprend au collège.

NICOLE. Oui, ma foi, cela vous rendrait la jambe bien mieux faite[2].

MONSIEUR JOURDAIN. Sans doute.

MADAME JOURDAIN. Tout cela est fort nécessaire pour
65 conduire votre maison.

MONSIEUR JOURDAIN. Assurément. Vous parlez toutes deux comme des bêtes, et j'ai honte de votre ignorance. *(À Mme Jourdain.)* Par exemple, savez-vous, vous, ce que c'est que vous dites à cette heure ?

70 MADAME JOURDAIN. Oui, je sais que ce que je dis est fort bien dit et que vous devriez songer à vivre d'autre sorte.

MONSIEUR JOURDAIN. Je ne parle pas de cela. Je vous demande ce que c'est que les paroles que vous dites ici.

75 MADAME JOURDAIN. Ce sont des paroles bien sensées, et votre conduite ne l'est guère.

MONSIEUR JOURDAIN. Je ne parle pas de cela, vous dis-je. Je vous demande, ce que je parle avec vous, ce que je vous dis à cette heure, qu'est-ce que c'est ?

---

1. *Tout à l'heure* : tout de suite.
2. *Jambe bien mieux faite* : cela vous ferait une belle jambe (langue populaire).

80 MADAME JOURDAIN. Des chansons[1].

MONSIEUR JOURDAIN. Hé non, ce n'est pas cela. Ce que nous disons tous deux, le langage que nous parlons à cette heure ?

MADAME JOURDAIN. Hé bien ?

85 MONSIEUR JOURDAIN. Comment est-ce que cela s'appelle ?

MADAME JOURDAIN. Cela s'appelle comme on veut l'appeler.

MONSIEUR JOURDAIN. C'est de la prose, ignorante.

90 MADAME JOURDAIN. De la prose ?

MONSIEUR JOURDAIN. Oui, de la prose. Tout ce qui est prose n'est point vers ; et tout ce qui n'est point vers n'est point prose[2]. Heu ! voilà ce que c'est d'étudier. *(À Nicole.)* Et toi, sais-tu bien comment il faut faire pour
95 dire un U ?

NICOLE. Comment ?

MONSIEUR JOURDAIN. Oui. Qu'est-ce que tu fais quand tu dis un U ?

NICOLE. Quoi ?

100 MONSIEUR JOURDAIN. Dis un peu U, pour voir.

NICOLE. Hé bien, U.

MONSIEUR JOURDAIN. Qu'est-ce que tu fais ?

NICOLE. Je dis U.

MONSIEUR JOURDAIN. Oui ; mais, quand tu dis U, qu'est-
105 ce que tu fais ?

---

1. *Chansons* : propos sans intérêt, sornettes.
2. Monsieur Jourdain a mal retenu la définition de la prose et ajoute une négation de trop.

NICOLE. Je fais ce que vous me dites.

MONSIEUR JOURDAIN. Ô l'étrange chose que d'avoir affaire à des bêtes ! Tu allonges les lèvres en dehors, et approches la mâchoire d'en haut de celle d'en bas :
110 U, vois-tu ? Je fais la moue : U.

NICOLE. Oui, cela est biau.

MADAME JOURDAIN. Voilà qui est admirable.

MONSIEUR JOURDAIN. C'est bien autre chose, si vous aviez vu O, et DA, DA, et FA, FA.

115 MADAME JOURDAIN. Qu'est-ce que c'est donc que tout ce galimatias[1]-là ?

NICOLE. De quoi est-ce que tout cela guérit ?

MONSIEUR JOURDAIN. J'enrage quand je vois des femmes ignorantes.

120 MADAME JOURDAIN. Allez, vous devriez envoyer promener tous ces gens-là avec leurs fariboles[2].

NICOLE. Et surtout ce grand escogriffe[3] de maître d'armes, qui remplit de poudre[4] tout mon ménage.

MONSIEUR JOURDAIN. Ouais ! ce maître d'armes vous
125 tient fort au cœur. Je te veux faire voir ton impertinence tout à l'heure. *(Il fait apporter les fleurets et en donne un à Nicole.)* Tiens. Raison démonstrative. La ligne du corps. Quand on pousse en quarte, on n'a qu'à faire cela ; et quand on pousse en tierce, on n'a qu'à faire cela. Voilà
130 le moyen de n'être jamais tué ; et cela n'est-il pas beau

1. *Galimatias* : discours incompréhensible.
2. *Fariboles* : histoires à dormir debout.
3. *Escogriffe* : homme grand et mal bâti (langue familière).
4. *Poudre* : poussière.

d'être assuré de son fait, quand on se bat contre quelqu'un ? Là, pousse-moi un peu pour voir.

NICOLE. Hé bien, quoi ? *(Nicole lui pousse plusieurs coups.)*

135 MONSIEUR JOURDAIN. Tout beau ! Holà ! oh ! doucement ! Diantre soit la coquine !

NICOLE. Vous me dites de pousser.

MONSIEUR JOURDAIN. Oui ; mais tu me pousses en tierce avant que de pousser en quarte, et tu n'as pas la
140 patience que je pare.

MADAME JOURDAIN. Vous êtes fou, mon mari, avec toutes vos fantaisies, et cela vous est venu depuis que vous vous mêlez de hanter la noblesse.

MONSIEUR JOURDAIN. Lorsque je hante la noblesse, je
145 fais paraître mon jugement : et cela est plus beau que de hanter votre bourgeoisie.

MADAME JOURDAIN. Çamon[1] vraiment ! Il y a fort à gagner à fréquenter vos nobles, et vous avez bien opéré avec ce beau monsieur le comte dont vous vous êtes
150 embéguiné[2]...

MONSIEUR JOURDAIN. Paix ! Songez à ce que vous dites. Savez-vous bien, ma femme, que vous ne savez pas de qui vous parlez, quand vous parlez de lui ? C'est une personne d'importance plus que vous ne pensez ; un
155 seigneur que l'on considère à la cour, et qui parle au roi tout comme je vous parle. N'est-ce pas une chose qui m'est tout à fait honorable que l'on voie venir chez moi si souvent une personne de cette qualité qui

1. *Çamon* : certainement, oui.
2. *Embéguiné* : entiché, mis en tête (un béguin est un petit bonnet).

m'appelle son cher ami et me traite comme si j'étais
160 son égal ? Il a pour moi des bontés qu'on ne devinerait jamais ; et, devant tout le monde, il me fait des caresses[1] dont je suis moi-même confus.

MADAME JOURDAIN. Oui, il a des bontés pour vous et vous fait des caresses, mais il vous emprunte votre
165 argent.

MONSIEUR JOURDAIN. Hé bien ! ne m'est-ce pas de l'honneur de prêter de l'argent à un homme de cette condition-là ? Et puis-je faire moins pour un seigneur qui m'appelle son cher ami ?

170 MADAME JOURDAIN. Et ce seigneur, que fait-il pour vous ?

MONSIEUR JOURDAIN. Des choses dont on serait étonné si on les savait.

MADAME JOURDAIN. Et quoi ?

175 MONSIEUR JOURDAIN. Baste[2], je ne puis pas m'expliquer. Il suffit que, si je lui ai prêté de l'argent, il me le rendra bien, et avant qu'il soit peu.

MADAME JOURDAIN. Oui. Attendez-vous à cela.

MONSIEUR JOURDAIN. Assurément. Ne me l'a-t-il pas
180 dit ?

MADAME JOURDAIN. Oui, oui, il ne manquera pas d'y faillir[3].

Swear trust

MONSIEUR JOURDAIN. Il m'a juré sa foi de gentilhomme.

MADAME JOURDAIN. Chansons !

---

1. *Caresses* : flatteries, gentillesses.
2. *Baste* : cela suffit ! (langue populaire).
3. *Faillir* : ne pas tenir ses engagements, s'y dérober.

185 MONSIEUR JOURDAIN. Ouais ! vous êtes bien obstinée, ma femme ; je vous dis qu'il me tiendra parole, j'en suis sûr.

MADAME JOURDAIN. Et moi, je suis sûre que non, et que toutes les caresses qu'il vous fait ne sont que pour 190 vous enjôler.

MONSIEUR JOURDAIN. Taisez-vous. Le voici.

MADAME JOURDAIN. Il ne nous faut plus que cela. Il vient peut-être encore vous faire quelque emprunt ; et il me semble que j'ai dîné, quand je le vois[1].

195 MONSIEUR JOURDAIN. Taisez-vous, vous dis-je.

---

1. *Il me ... vois :* sa vue me coupe l'appétit.

Acte III Scènes 1 à 3

COMPRÉHENSION DU TEXTE

1. Quel est l'intérêt de la scène 1 ?

2. Comment vous apparaît Mme Jourdain dans la scène 3 ? Citez et commentez des expressions révélatrices de son caractère.

3. Pourquoi la maîtresse et la servante sont-elles d'accord (sc. 3) ?

4. Caractérisez le langage de Nicole (sc. 2 et 3).

5. Comment M. Jourdain justifie-t-il la présence des maîtres ?

6. Qu'avons-nous appris sur le personnage de Dorante ?

LE COMIQUE

7. Quelle est la cause du rire irrépressible de Nicole dans la scène 2 ?

8. M. Jourdain donne à son tour une leçon aux deux femmes : comment réagissent ces dernières (sc. 3) ?

ÉVOLUTION DE L'ACTION

9. Distinguez les deux mouvements de la scène 2.

10. Donnez la composition de la scène 3. Sous quel jour fait-elle apparaître des épisodes précis des deux actes précédents ?

SCÈNE 4. DORANTE, MONSIEUR JOURDAIN, MADAME JOURDAIN, NICOLE.

DORANTE. Mon cher ami, monsieur Jourdain, comment vous portez-vous ?

MONSIEUR JOURDAIN. Fort bien, monsieur, pour vous rendre mes petits services.

DORANTE. Et madame Jourdain que voilà, comment se porte-t-elle ?

MADAME JOURDAIN. Madame Jourdain se porte comme elle peut.

DORANTE. Comment ! monsieur Jourdain, vous voilà le plus propre[1] du monde !

MONSIEUR JOURDAIN. Vous voyez.

DORANTE. Vous avez tout à fait bon air avec cet habit, et nous n'avons point de jeunes gens à la cour qui soient mieux faits que vous.

MONSIEUR JOURDAIN. Hai ! Hai !

MADAME JOURDAIN, *à part.* Il le gratte par où il se démange.

DORANTE. Tournez-vous. Cela est tout à fait galant.

MADAME JOURDAIN, *à part.* Oui, aussi sot par derrière que par devant.

DORANTE. Ma foi, monsieur Jourdain, j'avais une impatience étrange[2] de vous voir. Vous êtes l'homme du monde que j'estime le plus, et je parlais de vous encore ce matin dans la chambre du roi.

---

1. *Propre :* bien habillé, élégant.
2. *Étrange :* ici, extraordinaire, très forte.

25 MONSIEUR JOURDAIN. Vous me faites beaucoup d'honneur, monsieur. *(À Mme Jourdain.)* Dans la chambre du roi !

DORANTE. Allons, mettez[1]...

MONSIEUR JOURDAIN. Monsieur, je sais le respect que je
30 vous dois.

DORANTE. Mon Dieu, mettez ; point de cérémonie entre nous, je vous prie.

MONSIEUR JOURDAIN. Monsieur...

DORANTE. Mettez, vous dis-je, monsieur Jourdain ; vous
35 êtes mon ami.

MONSIEUR JOURDAIN. Monsieur, je suis votre serviteur.

DORANTE. Je ne me couvrirai point, si vous ne vous couvrez.

MONSIEUR JOURDAIN, *se couvrant.* J'aime mieux être incivil
40 qu'importun.

DORANTE. Je suis votre débiteur[2], comme vous le savez.

MADAME JOURDAIN, *à part.* Oui, nous ne le savons que trop.

DORANTE. Vous m'avez généreusement prêté de l'argent
45 en plusieurs occasions, et vous m'avez obligé de la meilleure grâce du monde, assurément.

MONSIEUR JOURDAIN. Monsieur, vous vous moquez.

DORANTE. Mais je sais rendre ce qu'on me prête, et reconnaître les plaisirs qu'on me fait.

50 MONSIEUR JOURDAIN. Je n'en doute point, monsieur.

---

1. *Mettez* : mettez votre chapeau. (Un homme n'ôte son chapeau que le temps de saluer.)
2. *Débiteur* : celui qui doit de l'argent.

DORANTE. Je veux sortir d'affaire avec vous, et je viens ici pour faire nos comptes ensemble.

MONSIEUR JOURDAIN, *bas à Mme Jourdain.* Hé bien ! vous voyez votre impertinence, ma femme.

55 DORANTE. Je suis homme qui aime à m'acquitter le plus tôt que je puis.

MONSIEUR JOURDAIN, *bas à Mme Jourdain.* Je vous le disais bien.

DORANTE. Voyons un peu ce que je vous dois.

60 MONSIEUR JOURDAIN, *bas à Mme Jourdain.* Vous voilà, avec vos soupçons ridicules.

DORANTE. Vous souvenez-vous bien de tout l'argent que vous m'avez prêté ?

MONSIEUR JOURDAIN. Je crois que oui. J'en ai fait un
65 petit mémoire. Le voici. Donné à vous une fois deux cents louis[1].

DORANTE. Cela est vrai.

MONSIEUR JOURDAIN. Une autre fois, six-vingts[2].

DORANTE. Oui.

70 MONSIEUR JOURDAIN. Et une fois, cent quarante.

DORANTE. Vous avez raison.

MONSIEUR JOURDAIN. Ces trois articles font quatre cent soixante louis, qui valent cinq mille soixante livres.

DORANTE. Le compte est fort bon. Cinq mille soixante
75 livres.

---

1. *Louis :* pistole, monnaie d'or qui valait onze livres (une livre = un franc = 20 sols).
2. *Six-vingts :* cent vingt (ancienne numérotation : six fois vingt).

MONSIEUR JOURDAIN. Mille huit cent trente-deux livres à votre plumassier[1].

DORANTE. Justement.

MONSIEUR JOURDAIN. Deux mille sept cent quatre-vingts
80 livres à votre tailleur.

DORANTE. Il est vrai.

MONSIEUR JOURDAIN. Quatre mille trois cent septante-neuf livres douze sols huit deniers[2] à votre marchand[3].

DORANTE. Fort bien. Douze sols huit deniers ; le compte
85 est juste.

MONSIEUR JOURDAIN. Et mille sept cent quarante-huit livres sept sols quatre deniers à votre sellier[4].

DORANTE. Tout cela est véritable. Qu'est-ce que cela fait ?

90 MONSIEUR JOURDAIN. Somme totale, quinze mille huit cents livres.

DORANTE. Somme totale est juste : quinze mille huit cents livres. Mettez encore deux cents pistoles que vous m'allez donner, cela fera justement dix-huit mille francs,
95 que je vous payerai au premier jour.

MADAME JOURDAIN, *bas à M. Jourdain.* Hé bien, ne l'avais-je pas bien deviné ?

MONSIEUR JOURDAIN, *bas à Mme Jourdain.* Paix !

DORANTE. Cela vous incommodera-t-il de me donner
100 ce que je vous dis ?

---

1. *Plumassier* : marchand de plumes pour orner les chapeaux.
2. Un denier = la douzième partie du sol ou « sou ».
3. *Marchand* : sans doute le marchand de drap.
4. *Sellier* : artisan qui fabrique des objets en cuir.

MONSIEUR JOURDAIN. Eh, non !

MADAME JOURDAIN, *bas à M. Jourdain.* Cet homme-là fait de vous une vache à lait.

MONSIEUR JOURDAIN, *bas à Mme Jourdain.* Taisez-vous !

105 DORANTE. Si cela vous incommode, j'en[1] irai chercher ailleurs.

MONSIEUR JOURDAIN. Non, monsieur.

MADAME JOURDAIN, *bas à M. Jourdain.* Il ne sera pas content qu'il ne vous ait ruiné.

110 MONSIEUR JOURDAIN, *bas à Mme Jourdain.* Taisez-vous, vous dis-je.

DORANTE. Vous n'avez qu'à me dire si cela vous embarrasse.

MONSIEUR JOURDAIN. Point, monsieur.

115 MADAME JOURDAIN, *bas à M. Jourdain.* C'est un vrai enjôleux[2].

MONSIEUR JOURDAIN, *bas à Mme Jourdain.* Taisez-vous donc.

MADAME JOURDAIN, *bas à M. Jourdain.* Il vous sucera
120 jusqu'au dernier sou.

MONSIEUR JOURDAIN, *bas à Mme Jourdain.* Vous tairez-vous ?

DORANTE. J'ai force gens qui m'en prêteraient avec joie ; mais, comme vous êtes mon meilleur ami, j'ai
125 cru que je vous ferais tort si j'en demandais à quelque autre.

---

1. *En :* de l'argent. Au XVIIe siècle, l'emploi des pronoms « en » et « y » est plus souple qu'aujourd'hui.
2. *Enjôleux :* enjôleur, qui trompe par des flatteries.

MONSIEUR JOURDAIN. C'est trop d'honneur, monsieur, que vous me faites. Je vais quérir[1] votre affaire.

MADAME JOURDAIN, *bas à M. Jourdain.* Quoi ! vous allez
130 encore lui donner cela ?

MONSIEUR JOURDAIN, *bas à Mme Jourdain.* Que faire ? Voulez-vous que je refuse un homme de cette condition-là, qui a parlé de moi ce matin dans la chambre du roi ?

135 MADAME JOURDAIN, *bas à M. Jourdain.* Allez, vous êtes une vraie dupe.

SCÈNE 5. DORANTE, MADAME JOURDAIN, NICOLE.

DORANTE. Vous me semblez toute mélancolique [2]. Qu'avez-vous, madame Jourdain ?

MADAME JOURDAIN. J'ai la tête plus grosse que le poing, et si[3] elle n'est pas enflée.

5 DORANTE. Mademoiselle votre fille, où est-elle, que je ne la vois point ?

MADAME JOURDAIN. Mademoiselle ma fille est bien où elle est.

DORANTE. Comment se porte-t-elle ?

10 MADAME JOURDAIN. Elle se porte sur ses deux jambes.

1. *Quérir* : chercher.
2. *Mélancolique* : d'humeur sombre.
3. *Et si* : et pourtant.

DORANTE. Ne voulez-vous point un de ces jours venir voir avec elle le ballet et la comédie que l'on fait chez le roi ?

MADAME JOURDAIN. Oui vraiment, nous avons fort envie
15 de rire, fort envie de rire nous avons.

DORANTE. Je pense, madame Jourdain, que vous avez eu bien des amants[1] dans votre jeune âge, belle et d'agréable humeur comme vous étiez.

MADAME JOURDAIN. Tredame[2] ! monsieur, est-ce que
20 madame Jourdain est décrépite, et la tête lui grouille[3]-t-elle déjà ?

DORANTE. Ah ! ma foi, madame Jourdain, je vous demande pardon. Je ne songeais pas que vous êtes jeune, et je rêve[4] le plus souvent. Je vous prie d'excuser
25 mon impertinence.

SCÈNE 6. MONSIEUR JOURDAIN, MADAME JOURDAIN, DORANTE, NICOLE.

MONSIEUR JOURDAIN, *à Dorante.* Voilà deux cents louis bien comptés.

DORANTE. Je vous assure, monsieur Jourdain, que je suis tout à vous, et que je brûle de vous rendre un
5 service à la cour.

1. *Amants :* soupirants, amoureux pas forcément aimés en retour.
2. *Tredame :* renforcement de « dame ! », interjection populaire pour « Notre-Dame très grande ».
3. *Grouille :* remue, tremble.
4. *Je rêve :* je suis distrait.

MONSIEUR JOURDAIN. Je vous suis trop obligé.

DORANTE. Si madame Jourdain veut voir le divertissement royal[1], je lui ferai donner les meilleures places de la salle.

10 MADAME JOURDAIN. Madame Jourdain vous baise les mains[2].

DORANTE, *bas à M. Jourdain.* Notre belle marquise, comme je vous ai mandé[3] par mon billet, viendra tantôt ici pour le ballet et le repas ; et je l'ai fait consentir 15 enfin au cadeau[4] que vous lui voulez donner.

MONSIEUR JOURDAIN. Tirons-nous un peu plus loin, pour cause.

DORANTE. Il y a huit jours que je ne vous ai vu, et je ne vous ai point mandé de nouvelles du diamant que 20 vous me mîtes entre les mains pour lui en faire présent de votre part : mais c'est que j'ai eu toutes les peines du monde à vaincre son scrupule, et ce n'est que d'aujourd'hui qu'elle s'est résolue à l'accepter.

MONSIEUR JOURDAIN. Comment l'a-t-elle trouvé ?

25 DORANTE. Merveilleux ; et je me trompe fort, ou la beauté de ce diamant fera pour vous sur son esprit un effet admirable.

MONSIEUR JOURDAIN. Plût au ciel !

MADAME JOURDAIN, *à Nicole.* Quand il est une fois avec 30 lui, il ne peut le quitter.

---

1. *Divertissement royal :* une pièce de théâtre avec danses et chants (comme *le Bourgeois gentilhomme*, par exemple).
2. Formule utilisée pour prendre congé, sortir.
3. *Mandé :* informé, fait savoir.
4. *Cadeau :* goûter, divertissement, petite fête offerts à des dames.

DORANTE. Je lui ai fait valoir comme il faut la richesse de ce présent et la grandeur de votre amour.

MONSIEUR JOURDAIN. Ce sont, monsieur, des bontés qui m'accablent ; et je suis dans une confusion la plus grande du monde de voir une personne de votre qualité s'abaisser pour moi à ce que vous faites.

DORANTE. Vous moquez-vous ? Est-ce qu'entre amis on s'arrête à ces sortes de scrupules ? Et ne feriez-vous pas pour moi la même chose, si l'occasion s'en offrait ?

MONSIEUR JOURDAIN. Oh ! assurément, et de très grand cœur.

MADAME JOURDAIN, *à Nicole.* Que sa présence me pèse sur les épaules !

DORANTE. Pour moi, je ne regarde rien, quand il faut servir un ami ; et, lorsque vous me fîtes confidence de l'ardeur que vous aviez prise pour cette marquise agréable chez qui j'avais commerce[1], vous vîtes que d'abord je m'offris de moi-même à servir votre amour.

MONSIEUR JOURDAIN. Il est vrai, ce sont des bontés qui me confondent.

MADAME JOURDAIN, *à Nicole.* Est-ce qu'il ne s'en ira point !

NICOLE. Ils se trouvent bien ensemble.

DORANTE. Vous avez pris le bon biais pour toucher son cœur. Les femmes aiment surtout les dépenses qu'on fait pour elles ; et vos fréquentes sérénades, et vos bouquets continuels, ce superbe feu d'artifice qu'elle trouva sur l'eau, le diamant qu'elle a reçu de votre part,

1. *Commerce :* relations.

et le cadeau que vous lui préparez, tout cela lui parle bien mieux en faveur de votre amour que toutes les paroles que vous auriez pu lui dire vous-même.

MONSIEUR JOURDAIN. Il n'y a point de dépenses que je ne fisse, si par là je pouvais trouver le chemin de son cœur. Une femme de qualité a pour moi des charmes ravissants, et c'est un honneur que j'achèterais au prix de toute chose.

MADAME JOURDAIN, *à Nicole.* Que peuvent-ils tant dire ensemble ? Va-t'en un peu tout doucement prêter l'oreille.

DORANTE. Ce sera tantôt que vous jouirez à votre aise du plaisir de sa vue, et vos yeux auront tout le temps de se satisfaire.

MONSIEUR JOURDAIN. Pour être en pleine liberté, j'ai fait en sorte que ma femme ira dîner chez ma sœur, où elle passera toute l'après-dînée.

DORANTE. Vous avez fait prudemment, et votre femme aurait pu nous embarrasser. J'ai donné pour vous l'ordre qu'il faut au cuisinier, et à toutes les choses[1] qui sont nécessaires pour le ballet. Il est de mon invention, et, pourvu que l'exécution puisse répondre à l'idée, je suis sûr qu'il sera trouvé...

MONSIEUR JOURDAIN, *s'aperçoit que Nicole écoute, et lui donne un soufflet.* Ouais ! vous êtes bien impertinente ! *(À Dorante.)* Sortons, s'il vous plaît.

1. *À toutes les choses :* et pour toutes les choses.

Acte III Scènes 4 à 6

COMPRÉHENSION ET ÉTUDE DES CARACTÈRES

1. L'entrée de Dorante à la scène 4 n'est-elle pas équivoque ? Montrez l'habileté du personnage.

2. Montrez que, sous le « gentilhomme » que M. Jourdain voudrait être, reparaît très vite le caractère du marchand enrichi.

3. Caractérisez l'attitude de Mme Jourdain et son langage. Montrez que son humeur peut influer sur sa façon de s'exprimer.

4. Comment expliquez-vous la « gaffe » de Dorante à la scène 5 ?

5. En étant amoureux, M. Jourdain vous apparaît-il accorder beaucoup d'importance à la personne même de la marquise ? Appuyez-vous sur ses propos pour répondre (sc. 6).

ÉVOLUTION DE L'ACTION

6. Avec la scène 6, quel est maintenant le personnage qui attire l'attention du spectateur ? Avions-nous jusqu'ici beaucoup de renseignements sur cette personne ?

7. Comment s'oriente maintenant l'intrigue ? Quel rôle joue Dorante dans la scène 6 ?

8. Pourquoi Nicole et Mme Jourdain restent-elles en scène (sc. 6) ?

LE COMIQUE

9. Imaginez les jeux de scène et les attitudes des quatre personnages confrontés deux à deux pendant les dialogues à la scène 6. Faites une proposition de mise en scène : place des personnages sur la scène, gestes, mimiques, jeux de scène, costumes et éclairages.

SCÈNE 7. MADAME JOURDAIN, NICOLE.

NICOLE. Ma foi, madame, la curiosité m'a coûté quelque chose ; mais je crois qu'il y a quelque anguille sous roche, et ils parlent de quelque affaire où ils ne veulent pas que vous soyez.

5 MADAME JOURDAIN. Ce n'est pas d'aujourd'hui, Nicole, que j'ai conçu des soupçons de mon mari. Je suis la plus trompée du monde[1], ou il y a quelque amour en campagne, et je travaille à découvrir ce que ce peut être. Mais songeons à ma fille. Tu sais l'amour que 10 Cléonte a pour elle. C'est un homme qui me revient, et je veux aider sa recherche[2], et lui donner Lucile, si je puis.

NICOLE. En vérité, madame, je suis la plus ravie du monde de vous voir dans ces sentiments : car, si le 15 maître vous revient, le valet ne me revient pas moins, et je souhaiterais que notre mariage se pût faire à l'ombre du leur.

MADAME JOURDAIN. Va-t'en lui parler de ma part, et lui dire que tout à l'heure il me vienne trouver pour faire 20 ensemble à mon mari la demande de ma fille.

NICOLE. J'y cours, madame, avec joie, et je ne pouvais recevoir une commission plus agréable. *(Seule.)* Je vais, je pense, bien réjouir[3] les gens.

---

1. *La plus trompée du monde* : la moins avertie de ce qui se passe.
2. *Recherche* : pour un jeune homme, la cour qu'il fait à une jeune fille.
3. *Réjouir* : donner de la joie.

SCÈNE 8. CLÉONTE, COVIELLE, NICOLE.

NICOLE, *à Cléonte.* Ah ! vous voilà tout à propos. Je suis ambassadrice de joie, et je viens...

CLÉONTE. Retire-toi, perfide, et ne me viens point amuser avec tes traîtresses paroles.

NICOLE. Est-ce ainsi que vous recevez...

CLÉONTE. Retire-toi, te dis-je, et va-t'en dire de ce pas à ton infidèle maîtresse qu'elle n'abusera de sa vie le trop simple Cléonte.

NICOLE. Quel vertigo[1] est-ce donc là ? Mon pauvre Covielle, dis-moi un peu ce que cela veut dire.

COVIELLE. Ton pauvre Covielle, petite scélérate ! Allons, vite, ôte-toi de mes yeux, vilaine, et me laisse en repos.

NICOLE. Quoi ! tu me viens aussi...

COVIELLE. Ôte-toi de mes yeux, te dis-je, et ne me parle de ta vie.

NICOLE, *à part.* Ouais ! Quelle mouche les a piqués tous deux ? Allons de cette belle histoire informer ma maîtresse.

SCÈNE 9. CLÉONTE, COVIELLE.

CLÉONTE. Quoi ! traiter un amant de la sorte ? et un amant le plus fidèle et le plus passionné de tous les amants ?

1. *Vertigo* : folie, caprice (mot latin, qui fait partie du langage comique).

COVIELLE. C'est une chose épouvantable que ce qu'on nous fait à tous deux.

CLÉONTE. Je fais voir pour une personne toute l'ardeur et toute la tendresse qu'on peut imaginer ; je n'aime rien au monde qu'elle, et je n'ai qu'elle dans l'esprit ; elle fait tous mes soins, tous mes désirs, toute ma joie ; je ne parle que d'elle, je ne pense qu'à elle, je ne fais des songes que d'elle, je ne respire que par elle, mon cœur vit tout en elle : et voilà de tant d'amitié[1] la digne récompense ! Je suis deux jours sans la voir, qui sont pour moi deux siècles effroyables ; je la rencontre par hasard ; mon cœur à cette vue se sent tout transporté, ma joie éclate sur mon visage ; je vole avec ravissement vers elle ; et l'infidèle détourne de moi ses regards et passe brusquement comme si de sa vie elle ne m'avait vu !

COVIELLE. Je dis les mêmes choses que vous.

CLÉONTE. Peut-on rien voir d'égal, Covielle, à cette perfidie de l'ingrate Lucile ?

COVIELLE. Et à celle, monsieur, de la pendarde de Nicole ?

CLÉONTE. Après tant de sacrifices ardents, de soupirs et de vœux que j'ai faits à ses charmes !

COVIELLE. Après tant d'assidus hommages, de soins et de services que je lui ai rendus dans sa cuisine !

CLÉONTE. Tant de larmes que j'ai versées à ses genoux !

COVIELLE. Tant de seaux d'eau que j'ai tirés au puits pour elle !

1. *Amitié* : amour, affection.

CLÉONTE. Tant d'ardeur que j'ai fait paraître à la chérir plus que moi-même !

COVIELLE. Tant de chaleur que j'ai soufferte à tourner
35 la broche à sa place !

CLÉONTE. Elle me fuit avec mépris !

COVIELLE. Elle me tourne le dos avec effronterie !

CLÉONTE. C'est une perfidie digne des plus grands châtiments.

40 COVIELLE. C'est une trahison à mériter mille soufflets.

CLÉONTE. Ne t'avise point, je te prie, de me parler jamais pour elle.

COVIELLE. Moi, monsieur ? Dieu m'en garde !

CLÉONTE. Ne viens point m'excuser l'action de cette
45 infidèle.

COVIELLE. N'ayez pas peur.

CLÉONTE. Non, vois-tu, tous tes discours pour la défendre ne serviront à rien.

COVIELLE. Qui songe à cela ?

50 CLÉONTE. Je veux contre elle conserver mon ressentiment et rompre ensemble tout commerce.

COVIELLE. J'y consens.

CLÉONTE. Ce monsieur le comte qui va chez elle lui donne peut-être dans la vue ; et son esprit, je le vois
55 bien, se laisse éblouir à la qualité. Mais il me faut, pour mon honneur, prévenir l'éclat[1] de son inconstance. Je veux faire autant de pas qu'elle au changement où

1. *Éclat :* scandale.

je la vois courir et ne lui laisser pas toute la gloire de me quitter.

60 COVIELLE. C'est fort bien dit, et j'entre pour mon compte dans tous vos sentiments.

CLÉONTE. Donne la main[1] à mon dépit, et soutiens ma résolution contre tous les restes d'amour qui me pourraient parler pour elle. Dis-m'en, je t'en conjure,
65 tout le mal que tu pourras. Fais-moi de sa personne une peinture qui me la rende méprisable ; et marque-moi bien, pour m'en dégoûter, tous les défauts que tu peux voir en elle.

COVIELLE. Elle, monsieur ? Voilà une belle mijaurée[2],
70 une pimpesouée[3] bien bâtie, pour vous donner tant d'amour ! Je ne lui vois rien que de très médiocre, et vous trouverez cent personnes qui seront plus dignes de vous. Premièrement, elle a les yeux petits.

CLÉONTE. Cela est vrai, elle a les yeux petits, mais elle
75 les a pleins de feu, les plus brillants, les plus perçants du monde, les plus touchants qu'on puisse voir.

COVIELLE. Elle a la bouche grande.

CLÉONTE. Oui ; mais on y voit des grâces qu'on ne voit point aux autres bouches ; et cette bouche, en la
80 voyant, inspire des désirs, est la plus attrayante, la plus amoureuse du monde.

COVIELLE. Pour sa taille, elle n'est pas grande.

CLÉONTE. Non ; mais elle est aisée et bien prise.

---

1. *Donne la main* : aide, renforce.
2. *Mijaurée* : femme sotte et prétentieuse sans raison.
3. *Pimpesouée* : très coquette, aguicheuse (mot disparu aujourd'hui).

COVIELLE. Elle affecte une nonchalance dans son parler
85 et dans ses actions.

CLÉONTE. Il est vrai ; mais elle a grâce à tout cela, et ses manières sont engageantes, ont je ne sais quel charme à s'insinuer dans les cœurs.

COVIELLE. Pour de l'esprit...

90 CLÉONTE. Ah ! elle en a, Covielle, du plus fin, du plus délicat.

COVIELLE. Sa conversation...

CLÉONTE. Sa conversation est charmante.

COVIELLE. Elle est toujours sérieuse...

95 CLÉONTE. Veux-tu de ces enjouements épanouis, de ces joies toujours ouvertes ? et vois-tu rien de plus impertinent que des femmes qui rient à tout propos ?

COVIELLE. Mais enfin elle est capricieuse autant que personne au monde.

100 CLÉONTE. Oui, elle est capricieuse, j'en demeure d'accord, mais tout sied bien aux belles, on souffre tout des belles.

COVIELLE. Puisque cela va comme cela, je vois bien que vous avez envie de l'aimer toujours.

105 CLÉONTE. Moi, j'aimerais mieux mourir ; et je vais la haïr autant que je l'ai aimée.

COVIELLE. Le moyen, si vous la trouvez si parfaite ?

CLÉONTE. C'est en quoi ma vengeance sera plus éclatante, en quoi je veux faire mieux voir la force de
110 mon cœur, à la haïr, à la quitter, toute belle, toute pleine d'attraits, toute aimable que je la trouve. La voici.

le depit amoureux

SCÈNE 10. CLÉONTE, LUCILE, COVIELLE, NICOLE.

NICOLE, *à Lucile.* Pour moi, j'en ai été toute scandalisée.

LUCILE. Ce ne peut être, Nicole, que ce que je te dis. Mais le voilà.

CLÉONTE, *à Covielle.* Je ne veux pas seulement lui parler.

5 COVIELLE. Je veux vous imiter.

LUCILE. Qu'est-ce donc, Cléonte ? qu'avez-vous ?

NICOLE. Qu'as-tu donc, Covielle ?

LUCILE. Quel chagrin vous possède ?

NICOLE. Quelle mauvaise humeur te tient ?

10 LUCILE. Êtes-vous muet, Cléonte ?

NICOLE. As-tu perdu la parole, Covielle ?

CLÉONTE. Que voilà qui est scélérat !

COVIELLE. Que cela est Judas[1] !

LUCILE. Je vois bien que la rencontre de tantôt a troublé
15 votre esprit.

CLÉONTE, *à Covielle.* Ah ! ah ! on voit ce qu'on a fait.

NICOLE. Notre accueil de ce matin t'a fait prendre la chèvre[2].

COVIELLE, *à Cléonte.* On a deviné l'enclouure[3].

20 LUCILE. N'est-il pas vrai, Cléonte, que c'est là le sujet de votre dépit ?

---

1. Allusion à Judas, qui trahit Jésus : que cela est trompeur !
2. *Prendre la chèvre :* se fâcher, comme une chèvre qui se cabre.
3. *Enclouure :* blessure faite au pied d'un cheval par un clou du fer mal placé. Au sens figuré : difficulté.

CLÉONTE. Oui, perfide, ce l'est, puisqu'il faut parler ; et j'ai à vous dire que vous ne triompherez pas comme vous pensez de votre infidélité, que je veux être le
25 premier à rompre avec vous, et que vous n'aurez pas l'avantage de me chasser. J'aurai de la peine sans doute à vaincre l'amour que j'ai pour vous ; cela me causera des chagrins. Je souffrirai un temps ; mais j'en viendrai à bout, et je me percerai plutôt le cœur que d'avoir la
30 faiblesse de retourner à vous.

COVIELLE, *à Nicole.* Queussi queumi[1].

LUCILE. Voilà bien du bruit pour un rien. Je veux vous dire, Cléonte, le sujet qui m'a fait ce matin éviter votre abord.

35 CLÉONTE, *voulant s'en aller pour éviter Lucile.* Non, je ne veux rien écouter.

NICOLE, *à Covielle.* Je te veux apprendre la cause qui nous a fait passer si vite.

COVIELLE, *voulant aussi s'en aller pour éviter Nicole.* Je ne
40 veux rien entendre...

LUCILE, *suivant Cléonte.* Sachez que ce matin...

CLÉONTE, *marchant toujours sans regarder Lucile.* Non, vous dis-je.

NICOLE, *suivant Covielle.* Apprends que...

45 COVIELLE, *marchant aussi sans regarder Nicole.* Non, traîtresse.

LUCILE. Écoutez.

CLÉONTE. Point d'affaire.

---

1. *Queussi queumi* : comme lui, comme moi (expression picarde).

NICOLE. Laisse-moi dire.

50 COVIELLE. Je suis sourd.

LUCILE. Cléonte !

CLÉONTE. Non.

NICOLE. Covielle !

COVIELLE. Point.

55 LUCILE. Arrêtez.

CLÉONTE. Chansons !

NICOLE. Entends-moi.

COVIELLE. Bagatelles !

LUCILE. Un moment.

60 CLÉONTE. Point du tout.

NICOLE. Un peu de patience.

COVIELLE. Tarare[1].

LUCILE. Deux paroles.

CLÉONTE. Non, c'en est fait.

65 NICOLE. Un mot.

COVIELLE. Plus de commerce.

LUCILE, *s'arrêtant.* Hé bien, puisque vous ne voulez pas m'écouter, demeurez dans votre pensée, et faites ce qu'il vous plaira.

70 NICOLE, *s'arrêtant aussi.* Puisque tu fais comme cela, prends-le tout comme tu voudras.

CLÉONTE, *se tournant vers Lucile.* Sachons donc le sujet d'un si bel accueil.

---

1. *Tarare :* pas du tout. L'équivalent de « taratata », aujourd'hui.

LUCILE, *s'en allant à son tour pour éviter Cléonte.* Il ne
75 me plaît plus de le dire.

COVIELLE, *se tournant vers Nicole.* Apprends-nous un peu cette histoire.

NICOLE, *s'en allant aussi pour éviter Covielle.* Je ne veux plus, moi, te l'apprendre.

80 CLÉONTE, *suivant Lucile.* Dites-moi...

LUCILE, *marchant toujours sans regarder Cléonte.* Non, je ne veux rien dire.

COVIELLE, *suivant Nicole.* Conte-moi...

NICOLE, *marchant aussi sans regarder Covielle.* Non, je ne
85 conte rien.

CLÉONTE. De grâce...

LUCILE. Non, vous dis-je.

COVIELLE. Par charité.

NICOLE. Point d'affaire.

90 CLÉONTE. Je vous en prie.

LUCILE. Laissez-moi.

COVIELLE. Je t'en conjure.

NICOLE. Ôte-toi de là.

CLÉONTE. Lucile !

95 LUCILE. Non.

COVIELLE. Nicole !

NICOLE. Point.

CLÉONTE. Au nom des dieux !...

LUCILE. Je ne veux pas.

100 COVIELLE. Parle-moi.

NICOLE. Point du tout.

Cléonte. Éclaircissez mes doutes.

Lucile. Non, je n'en ferai rien.

Covielle. Guéris-moi l'esprit.

105 Nicole. Non, il ne me plaît pas.

Cléonte. Hé bien, puisque vous vous souciez si peu de me tirer de peine et de vous justifier du traitement indigne que vous avez fait à ma flamme[1], vous me voyez, ingrate, pour la dernière fois, et je vais loin de 110 vous mourir de douleur et d'amour.

Covielle, *à Nicole.* Et moi, je vais suivre ses pas.

Lucile, *à Cléonte, qui veut sortir.* Cléonte !

Nicole, *à Covielle, qui veut sortir.* Covielle !

Cléonte, *s'arrêtant.* Eh ?

115 Covielle, *s'arrêtant aussi.* Plaît-il ?

Lucile. Où allez-vous ?

Cléonte. Où je vous ai dit.

Covielle. Nous allons mourir.

Lucile. Vous allez mourir, Cléonte ?

120 Cléonte. Oui, cruelle, puisque vous le voulez.

Lucile. Moi, je veux que vous mouriez ?

Cléonte. Oui, vous le voulez.

Lucile. Qui vous le dit ?

Cléonte, *s'approchant de Lucile.* N'est-ce pas le vouloir 125 que de ne vouloir pas éclaircir mes soupçons ?

Lucile. Est-ce ma faute ? Et, si vous aviez voulu

1. *Flamme* : amour.

m'écouter, ne vous aurais-je pas dit que l'aventure dont vous vous plaignez a été causée ce matin par la présence d'une vieille tante qui veut, à toute force, que la seule
130 approche d'un homme déshonore une fille ? qui perpétuellement nous sermonne sur ce chapitre, et nous figure[1] tous les hommes comme des diables qu'il faut fuir ?

NICOLE, *à Covielle.* Voilà le secret de l'affaire.

135 CLÉONTE. Ne me trompez-vous point, Lucile ?

COVIELLE, *à Nicole.* Ne m'en donnes-tu point à garder[2] ?

LUCILE, *à Cléonte.* Il n'est rien de plus vrai.

NICOLE, *à Covielle.* C'est la chose comme elle est.

COVIELLE, *à Cléonte.* Nous rendrons-nous à cela ?

140 CLÉONTE. Ah ! Lucile, qu'avec un mot de votre bouche vous savez apaiser de choses dans mon cœur, et que facilement on se laisse persuader aux personnes qu'on aime !

COVIELLE. Qu'on est aisément amadoué[3] par ces diantres
145 d'animaux-là !

1. *Figure* : représente.
2. *À garder* : à m'en faire accroire, à me tromper.
3. *Amadoué* : enjôlé, séduit, radouci.

Acte III Scènes 7 à 10

COMPRÉHENSION DU TEXTE

1. Étudiez le vocabulaire de Cléonte, notamment ses exagérations (sc. 9). Est-il sincère ?

2. Qu'est-ce que le « dépit amoureux » ? Montrez que cette expression s'applique à ce qu'éprouve Cléonte. Pourtant, est-il bien certain d'avoir une bonne raison de garder rancune à Lucile ? Lignes 62 à 68 : étudiez de près sa réplique.

3. Caractérisez le langage de Covielle en l'opposant à celui de son maître. Reportez-vous notamment aux lignes 23 à 35. Montrez que les façons de s'exprimer du maître et du valet traduisent des conceptions différentes de la relation amoureuse.

LE COMIQUE

4. Qu'est-ce qui crée le comique de la scène 9 ? Étudiez l'effet produit par les échanges de répliques entre Cléonte et Covielle, et le caractère de Cléonte tel qu'il se manifeste ici. Pourquoi refuse-t-il les critiques présentées par son valet ?

5. Scène 10, montrez que Molière exploite habilement le parallélisme des répliques et des jeux de scène pour soutenir le divertissement du public (retournements de situation, changements de ton, mouvements de personnages sur la scène). Montrez ensuite que le « dépit amoureux » est le moteur du comique dans cette scène.

ÉVOLUTION DE L'ACTION

6. Pourquoi le moment est-il venu pour Mme Jourdain de vouloir hâter le mariage de sa fille avec Cléonte (sc. 7) ?

7. Le spectateur est-il inquiet de voir en danger le projet de mariage voulu par Mme Jourdain ?

8. Donnez la composition de la scène 9 et précisez quel rôle joue Covielle aux différents moments de l'action.

9. Les deux femmes ont-elles vraiment peur que Cléonte et Covielle mettent à exécution leur menace d'aller mourir ?

SCÈNE 11. MADAME JOURDAIN, CLÉONTE, LUCILE, COVIELLE, NICOLE.

MADAME JOURDAIN. Je suis bien aise de vous voir, Cléonte, et vous voilà tout à propos. Mon mari vient, prenez vite votre temps[1] pour lui demander Lucile en mariage.

5 CLÉONTE. Ah ! madame, que cette parole m'est douce et qu'elle flatte mes désirs ! Pouvais-je recevoir un ordre plus charmant, une faveur plus précieuse ?

SCÈNE 12. MONSIEUR JOURDAIN, MADAME JOURDAIN, CLÉONTE, LUCILE, COVIELLE, NICOLE.

CLÉONTE. Monsieur, je n'ai voulu prendre personne pour vous faire une demande que je médite il y a longtemps. Elle me touche assez pour m'en charger moi-même ; et, sans autre détour, je vous dirai que l'honneur d'être
5 votre gendre est une faveur glorieuse que je vous prie de m'accorder.

MONSIEUR JOURDAIN. Avant que de vous rendre réponse, monsieur, je vous prie de me dire si vous êtes gentilhomme.

10 CLÉONTE. Monsieur, la plupart des gens sur cette question n'hésitent pas beaucoup. On tranche le mot[2]

1. Saisissez l'occasion.
2. *Le mot* : la question.

aisément. Ce nom ne fait aucun scrupule à prendre, et l'usage aujourd'hui semble en autoriser le vol. Pour moi, je vous l'avoue, j'ai les sentiments sur cette matière
15 un peu plus délicats. Je trouve que toute imposture est indigne d'un honnête homme, et qu'il y a de la lâcheté à déguiser ce que le ciel nous a fait naître, à se parer aux yeux du monde d'un titre dérobé, à se vouloir donner pour ce qu'on n'est pas. Je suis né de parents,
20 sans doute, qui ont tenu des charges honorables. Je me suis acquis dans les armes l'honneur de six ans de services, et je me trouve assez de bien pour tenir dans le monde un rang assez passable ; mais avec tout cela je ne veux point me donner un nom où d'autres en
25 ma place croiraient pouvoir prétendre, et je vous dirai franchement que je ne suis point gentilhomme.

MONSIEUR JOURDAIN. Touchez là[1], monsieur. Ma fille n'est pas pour vous.

CLÉONTE. Comment ?

30 MONSIEUR JOURDAIN. Vous n'êtes point gentilhomme, vous n'aurez pas ma fille.

MADAME JOURDAIN. Que voulez-vous dire avec votre gentilhomme ? Est-ce que nous sommes, nous autres, de la côte de saint Louis[2] ?

35 MONSIEUR JOURDAIN. Taisez-vous, ma femme, je vous vois venir.

1. *Touchez là :* mettez votre main dans la mienne (expression employée pour conclure un accord).
2. *De la côte de saint Louis :* de la vieille noblesse, qui descend du roi saint Louis. On dirait aujourd'hui, populairement, « sorti de la cuisse de Jupiter ».

MADAME JOURDAIN. Descendons-nous tous deux que de bonne bourgeoisie ?

MONSIEUR JOURDAIN. Voilà pas le coup de langue[1] !

40 MONSIEUR JOURDAIN. Et votre père n'était-il pas marchand aussi bien que le mien ?

MONSIEUR JOURDAIN. Peste soit de la femme ! Elle n'y a jamais manqué. Si votre père a été marchand, tant pis pour lui ; mais, pour le mien, ce sont des malavisés
45 qui disent cela. Tout ce que j'ai à vous dire, moi, c'est que je veux avoir un gendre gentilhomme.

MADAME JOURDAIN. Il faut à votre fille un mari qui lui soit propre[2], et il vaut mieux pour elle un honnête homme riche et bien fait qu'un gentilhomme gueux et
50 mal bâti.

NICOLE. Cela est vrai. Nous avons le fils du gentilhomme de notre village qui est le plus grand malitorne[3] et le plus sot dadais que j'aie jamais vu.

MONSIEUR JOURDAIN, *à Nicole.* Taisez-vous, imper-
55 tinente ! Vous vous fourrez toujours dans la conversation. J'ai du bien assez pour ma fille, je n'ai besoin que d'honneur, et je la veux faire marquise.

MADAME JOURDAIN. Marquise !

MONSIEUR JOURDAIN. Oui, marquise.

60 MADAME JOURDAIN. Hélas ! Dieu m'en garde !

MONSIEUR JOURDAIN. C'est une chose que j'ai résolue.

MADAME JOURDAIN. C'est une chose, moi, où je ne

1. *Coup de langue* : médisance.
2. *Soit propre : convienne.*
3. *Malitorne* : mal tourné, mal bâti.

Le Bourgeois (Jérôme Savary) et sa femme (Nadine Alari)
dans la mise en scène de Jérôme Savary, 1989.

consentirai point. Les alliances avec plus grand que soi sont sujettes toujours à de fâcheux inconvénients. Je ne
65 veux point qu'un gendre puisse à ma fille reprocher ses parents, et qu'elle ait des enfants qui aient honte de m'appeler leur grand'maman. S'il fallait qu'elle me vînt visiter en équipage[1] de grand'dame, et qu'elle manquât par mégarde à saluer quelqu'un du quartier, on ne
70 manquerait pas aussitôt de dire cent sottises. « Voyez-vous, dirait-on, cette madame la marquise qui fait tant la glorieuse[2] ? C'est la fille de monsieur Jourdain, qui était trop heureuse, étant petite, de jouer à la madame avec nous : elle n'a pas toujours été si relevée[3] que la
75 voilà ; et ses deux grands-pères vendaient du drap auprès de la porte Saint-Innocent[4]. Ils ont amassé du bien à leurs enfants, qu'ils payent maintenant peut-être bien cher en l'autre monde, et l'on ne devient guère si riches à être honnêtes gens. » Je ne veux point tous
80 ces caquets et je veux un homme, en un mot, qui m'ait obligation de ma fille[5], et à qui je puisse dire : « Mettez-vous là, mon gendre, et dînez avec moi. »

MONSIEUR JOURDAIN. Voilà bien les sentiments d'un petit esprit, de vouloir demeurer toujours dans la
85 bassesse. Ne me répliquez pas davantage : ma fille sera marquise en dépit de tout le monde ; et, si vous me mettez en colère, je la ferai duchesse.

1. *Équipage :* habillement, accoutrement et tout ce qui accompagne un déplacement (valets, voitures, etc.)
2. *Glorieuse :* vaniteuse, suffisante.
3. *Relevée :* hautaine.
4. *Saint-Innocent :* porte du cimetière des Saints-Innocents, quartier des Halles à Paris, où Molière est né.
5. *Qui m'ait obligation de ma fille :* qui me soit reconnaissant de lui avoir offert ma fille.

SCÈNE 13. MADAME JOURDAIN, CLÉONTE, LUCILE, NICOLE, COVIELLE.

MADAME JOURDAIN. Cléonte, ne perdez point courage encore. *(À Lucile.)* Suivez-moi, ma fille, et venez dire résolument à votre père que, si vous ne l'avez, vous ne voulez épouser personne.

SCÈNE 14. CLÉONTE, COVIELLE.

COVIELLE. Vous avez fait de belles affaires, avec vos beaux sentiments.

CLÉONTE. Que veux-tu ? J'ai un scrupule là-dessus que l'exemple ne saurait vaincre.

5 COVIELLE. Vous moquez-vous, de le prendre sérieusement avec un homme comme cela ? Ne voyez-vous pas qu'il est fou ? et vous coûtait-il quelque chose de vous accommoder à ses chimères ?

CLÉONTE. Tu as raison ; mais je ne croyais pas qu'il
10 fallût faire preuve de noblesse pour être gendre de monsieur Jourdain.

COVIELLE, *riant.* Ah ! ah ! ah !

CLÉONTE. De quoi ris-tu ?

COVIELLE. D'une pensée qui me vient pour jouer notre
15 homme et vous faire obtenir ce que vous souhaitez.

CLÉONTE. Comment ?

COVIELLE. L'idée est tout à fait plaisante.

CLÉONTE. Quoi donc ?

COVIELLE. Il s'est fait depuis peu une certaine mascarade[1]
20 qui vient le mieux du monde ici, et que je prétends faire entrer dans une bourle[2] que je veux faire à notre ridicule. Tout cela sent un peu sa comédie ; mais, avec lui, on peut hasarder toute chose, il n'y faut point chercher tant de façons, et il est homme à y jouer son
25 rôle à merveille, à donner aisément dans toutes les fariboles qu'on s'avisera de lui dire. J'ai les acteurs, j'ai les habits tout prêts, laissez-moi faire seulement.

CLÉONTE. Mais apprends-moi...

COVIELLE. Je vais vous instruire de tout ; retirons-nous,
30 le voilà qui revient.

1. *Mascarade* : sorte de comédie où les masques jouent leur rôle.
2. *Bourle* : plaisanterie (mot d'où provient « burlesque »).

Acte III Scènes 11 à 14

COMPRÉHENSION DU TEXTE

1. Dans la scène 11, quelle est la part de la franchise chez les deux personnages ?

2. Expliquez la critique sociale contenue dans les paroles de Cléonte à la scène 12. Quel trait de caractère du personnage se révèle ici ?

3. Quelles sont les qualités du gendre idéal pour Mme Jourdain dans la scène 12 ? Définissez sa conception du mariage.

4. Sur quelles questions s'opposent ici M. et Mme Jourdain ? Comment se traduit leur désaccord ? Étudiez de près les répliques : le ton, la façon de s'exprimer.

LE COMIQUE

5. Appréciez le comique de cette réplique : « Vous n'êtes point gentilhomme, vous n'aurez pas ma fille », après la tirade de Cléonte, scène 12, et l'effet produit sur le spectateur.

6. Montrez que Molière utilise toutes les formes de comique à travers les scènes 11 à 14 et que l'on peut déjà prévoir un dénouement burlesque de la pièce.

7. Relevez les détails comiques qui évitent, à la scène 12, de tomber dans le tragique.

ÉVOLUTION DE L'ACTION

8. Étudiez la progression de l'action et ses rebondissements en fonction des entrées et sorties des personnages au cours des scènes 11 à 14.

9. Quelle est l'importance de la scène 14 pour la suite de l'action ? Sur quel trait de caractère de M. Jourdain Covielle spécule-t-il pour mener à bien son plan ?

SCÈNE 15. MONSIEUR JOURDAIN, *seul.*

MONSIEUR JOURDAIN. Que diable est-ce là ? Ils n'ont rien que les grands seigneurs à me reprocher, et moi je ne vois rien de si beau que de hanter[1] les grands seigneurs ; il n'y a qu'honneur et que civilité avec eux, 5 et je voudrais qu'il m'eût coûté deux doigts de la main et être né comte ou marquis.

SCÈNE 16. MONSIEUR JOURDAIN, UN LAQUAIS.

LAQUAIS. Monsieur, voici monsieur le comte, et une dame qu'il mène par la main.

MONSIEUR JOURDAIN. Hé ! mon Dieu, j'ai quelques ordres à donner. Dis-leur que je vais venir ici tout à 5 l'heure.

SCÈNE 17. DORIMÈNE, DORANTE, LAQUAIS.

LAQUAIS. Monsieur dit comme cela qu'il va venir ici tout à l'heure.

DORANTE. Voilà qui est bien.

---

1. *Hanter* : fréquenter.

SCÈNE 18. DORIMÈNE, DORANTE.

DORIMÈNE. Je ne sais pas, Dorante ; je fais encore ici[1] une étrange démarche de me laisser amener par vous dans une maison où je ne connais personne.

DORANTE. Quel lieu voulez-vous donc, madame, que
5 mon amour choisisse pour vous régaler, puisque, pour fuir l'éclat, vous ne voulez ni votre maison, ni la mienne ?

DORIMÈNE. Mais vous ne dites pas que je m'engage insensiblement chaque jour à recevoir de trop grands
10 témoignages de votre passion ? J'ai beau me défendre des choses, vous fatiguez ma résistance et vous avez une civile opiniâtreté qui me fait venir doucement à tout ce qu'il vous plaît. Les visites fréquentes ont commencé ; les déclarations sont venues ensuite, qui
15 après elles ont traîné[2] les sérénades et les cadeaux, que les présents ont suivi. Je me suis opposée à tout cela, mais vous ne vous rebutez point, et pied à pied vous gagnez mes résolutions[3]. Pour moi, je ne puis plus répondre de rien, et je crois qu'à la fin vous me feriez
20 venir au mariage, dont je me suis tant éloignée.

DORANTE. Ma foi, madame, vous y devriez déjà être. Vous êtes veuve, et ne dépendez que de vous. Je suis maître de moi et vous aime plus que ma vie. À quoi tient-il que dès aujourd'hui vous ne fassiez tout mon
25 bonheur ?

DORIMÈNE. Mon Dieu, Dorante, il faut des deux parts

1. *Ici :* en ce moment.
2. *Traîné :* ici, entraîné.
3. *Vous gagnez mes résolutions :* vous l'emportez sur mes résolutions.

bien des qualités pour vivre heureusement ensemble ; et les deux plus raisonnables personnes du monde ont souvent peine à composer une union dont ils soient
30 satisfaits.

DORANTE. Vous vous moquez, madame, de vous y figurer tant de difficultés ; et l'expérience que vous avez faite ne conclut rien pour tous les autres.

DORIMÈNE. Enfin j'en reviens toujours là. Les dépenses
35 que je vous vois faire pour moi m'inquiètent par deux raisons : l'une, qu'elles m'engagent plus que je ne voudrais ; et l'autre, que je suis sûre, sans vous déplaire, que vous ne les faites point que vous ne vous incommodiez[1] ; et je ne veux point cela.

40 DORANTE. Ah ! madame, ce sont des bagatelles[2] et ce n'est pas par là...

DORIMÈNE. Je sais ce que je dis ; et entre autres le diamant que vous m'avez forcé à prendre est d'un prix...

45 DORANTE. Eh ! madame, de grâce, ne faites point tant valoir une chose que mon amour trouve indigne de vous, et souffrez... Voici le maître du logis.

SCÈNE 19. MONSIEUR JOURDAIN, DORIMÈNE, DORANTE.

MONSIEUR JOURDAIN, *après avoir fait deux révérences, se trouvant trop près de Dorimène.* Un peu plus loin, madame.

---

1. *Incommodiez* : mettiez dans l'embarras.
2. *Bagatelles* : choses peu importantes.

DORIMÈNE. Comment ?

MONSIEUR JOURDAIN. Un pas, s'il vous plaît.

5 DORIMÈNE. Quoi donc ?

MONSIEUR JOURDAIN. Reculez un peu pour la troisième.

DORANTE. Madame, monsieur Jourdain sait son monde[1].

MONSIEUR JOURDAIN. Madame, ce m'est une gloire bien grande de me voir assez fortuné pour être si heureux
10 que d'avoir le bonheur que vous ayez eu la bonté de m'accorder la grâce de me faire l'honneur de m'honorer de la faveur de votre présence ; et, si j'avais aussi le mérite pour mériter un mérite comme le vôtre, et que le ciel... envieux de mon bien... m'eût accordé... l'avantage
15 de me voir digne... des...

DORANTE. Monsieur Jourdain, en voilà assez ; madame n'aime pas les grands compliments, et elle sait que vous êtes homme d'esprit. *(Bas à Dorimène.)* C'est un bon bourgeois assez ridicule, comme vous voyez, dans toutes
20 ses manières.

DORIMÈNE, *de même.* Il n'est pas malaisé de s'en apercevoir.

DORANTE, *haut.* Madame, voilà le meilleur de mes amis.

MONSIEUR JOURDAIN. C'est trop d'honneur que vous me
25 faites.

DORANTE. Galant homme tout à fait.

DORIMÈNE. J'ai beaucoup d'estime pour lui.

MONSIEUR JOURDAIN. Je n'ai rien fait encore, madame, pour mériter cette grâce.

---

1. *Sait son monde* : connaît les usages du grand monde, de la noblesse.

30 DORANTE, *bas à M. Jourdain.* Prenez bien garde, au moins, à[1] ne lui point parler du diamant que vous lui avez donné.

MONSIEUR JOURDAIN, *bas à Dorante.* Ne pourrais-je pas seulement lui demander comment elle le trouve ?

35 DORANTE, *bas à M. Jourdain.* Comment ? gardez-vous-en bien. Cela serait vilain[2] à vous ; et, pour agir en galant homme, il faut que vous fassiez comme si ce n'était pas vous qui lui eussiez fait ce présent. *(Haut.)* Monsieur Jourdain, madame, dit qu'il est ravi de
40 vous voir chez lui.

DORIMÈNE. Il m'honore beaucoup.

MONSIEUR JOURDAIN, *bas à Dorante.* Que je vous suis obligé, monsieur, de lui parler ainsi pour moi !

DORANTE, *bas à M. Jourdain.* J'ai eu une peine effroyable[3]
45 à la faire venir ici.

MONSIEUR JOURDAIN, *bas à Dorante.* Je ne sais quelles grâces vous en rendre.

DORANTE. Il dit, madame, qu'il vous trouve la plus belle personne du monde.

50 DORIMÈNE. C'est bien de la grâce qu'il me fait.

MONSIEUR JOURDAIN. Madame, c'est vous qui faites les grâces[4], et...

DORANTE. Songeons à manger.

---

1. *À* : de.
2. *Vilain* : vulgaire, digne d'un paysan (« vilain », en français du Moyen Âge).
3. *Effroyable* : qui impressionne vivement (vocabulaire précieux).
4. *C'est vous qui faites les grâces* : c'est vous qui (me) faites la grâce. Le pluriel rend cette formule emphatique et maladroite.

SCÈNE 20. MONSIEUR JOURDAIN, DORIMÈNE, DORANTE, UN LAQUAIS.

LAQUAIS, *à M. Jourdain.* Tout est prêt, monsieur.

DORANTE. Allons donc nous mettre à table, et qu'on fasse venir les musiciens.

(Six cuisiniers qui ont préparé le festin dansent ensemble et font le troisième intermède ; après quoi ils apportent une table couverte de plusieurs mets.)

Acte III Scènes 15 à 20

COMPRÉHENSION ET ÉTUDE DES CARACTÈRES

1. Le personnage de Dorimène vous semble-t-il sympathique (sc. 18) ? Chacune de ses répliques ne dévoile-t-elle pas sa personnalité ? Montrez-le.

2. N'y a-t-il pas quelque chose d'inquiétant dans le personnage de Dorante ? Quels sont ses sentiments pour Dorimène ?

3. Essayez de définir les sentiments de M. Jourdain pour Dorimène (sc. 19).

LE COMIQUE

4. Appréciez les effets comiques de la scène 19 : montrez comment M. Jourdain devient véritablement grotesque et stupide. Étudiez l'« effet écho » des leçons apprises aux actes précédents.

5. Étudiez le comique de situation : comment Dorante mène-t-il son jeu auprès de Dorimène et auprès de M. Jourdain ? Représentez-vous les jeux de scène.

ÉVOLUTION DE L'ACTION

6. Pourquoi Molière, dans la scène 15, fait-il revenir M. Jourdain, après l'avoir fait sortir à la fin de la scène 12 ?

7. Étudiez les allées et venues de M. Jourdain. Quel effet produit sa rentrée dans la scène 19 ? Quelle est l'importance de cette scène pour la suite des événements ?

8. Montrez que deux intrigues se tissent autour de M. Jourdain.

Sur l'ensemble de l'acte III

9. La progression de l'action : elle bifurque en deux intrigues. Lesquelles ?

10. Quelles sont les scènes consacrées à la progression de la première intrigue, de la seconde ?
Marquez les grandes étapes de la progression des deux intrigues. Où en sommes-nous à la fin de l'acte III ? Montrez que le public est tenu en haleine.

Acte IV

SCÈNE PREMIÈRE. DORANTE, DORIMÈNE, MONSIEUR JOURDAIN, DEUX MUSICIENS, UNE MUSICIENNE, LAQUAIS.

DORIMÈNE. Comment, Dorante, voilà un repas tout à fait magnifique !

MONSIEUR JOURDAIN. Vous vous moquez, madame, et je voudrais qu'il fût plus digne de vous être offert. *(Tous se mettent à table.)*

DORANTE. Monsieur Jourdain a raison, madame, de parler de la sorte, et il m'oblige de vous faire si bien les honneurs de chez lui. Je demeure d'accord avec lui que le repas n'est pas digne de vous. Comme c'est moi qui l'ai ordonné, et que je n'ai pas sur cette matière les lumières de nos amis, vous n'avez pas ici un repas fort savant, et vous y trouverez des incongruités[1] de bonne chère et des barbarismes[2] de bon goût. Si Damis s'en était mêlé, tout serait dans les règles ; il y aurait partout de l'élégance et de l'érudition, et il ne manquerait pas de vous exagérer lui-même toutes les pièces du repas qu'il vous donnerait, et de vous faire tomber d'accord de sa haute capacité dans la science des bons morceaux ; de vous parler d'un pain de rive[3], à biseau

---

1. *Incongruité :* au sens propre, faute de grammaire. Employé à propos de cuisine, ce terme fait partie du langage précieux utilisé dans cette tirade.
2. *Barbarisme :* faute portant atteinte à la pureté du langage.
3. *Pain de rive :* pain cuit sur le bord du four, donc doré de tous côtés.

doré, relevé de croûte partout, croquant tendrement
20 sous la dent ; d'un vin à sève veloutée, armé d'un vert
qui n'est point trop commandant[1] ; d'un carré de
mouton gourmandé de persil[2] ; d'une longe de veau de
rivière[3] longue comme cela, blanche, délicate, et qui
sous les dents est une vraie pâte d'amande ; de perdrix
25 relevées d'un fumet surprenant ; et, pour son opéra[4],
d'une soupe à bouillon perlé[5] soutenue d'un jeune gros
dindon cantonné[6] de pigeonneaux et couronné d'oignons
blancs mariés avec la chicorée. Mais, pour moi, je vous
avoue mon ignorance ; et, comme monsieur Jourdain
30 a fort bien dit, je voudrais que le repas fût plus digne
de vous être offert.

DORIMÈNE. Je ne réponds à ce compliment qu'en
mangeant comme je fais.

MONSIEUR JOURDAIN. Ah ! que voilà de belles mains !

35 DORIMÈNE. Les mains sont médiocres, monsieur
Jourdain ; mais vous voulez parler du diamant, qui est
fort beau.

MONSIEUR JOURDAIN. Moi, madame ! Dieu me garde
d'en vouloir parler : ce ne serait pas agir en galant
40 homme, et le diamant est fort peu de chose.

DORIMÈNE. Vous êtes bien dégoûté.

---

1. *Un vert ... trop commandant :* ayant un goût de vin nouveau, mais pas trop prononcé.
2. *Gourmandé de persil :* dont le goût est relevé par le persil.
3. *Veau de rivière :* veau élevé dans les prairies fertiles qui bordent la Seine ou d'autres rivières.
4. *Opéra :* chef-d'œuvre.
5. *Bouillon perlé :* bouillon de viande.
6. *Cantonné :* garni aux quatre coins.

MONSIEUR JOURDAIN. Vous avez trop de bonté...

DORANTE, *après avoir fait signe à M. Jourdain.* Allons, qu'on donne du vin à monsieur Jourdain et à ces
45 messieurs, qui nous feront la grâce de nous chanter un air à boire.

DORIMÈNE. C'est merveilleusement assaisonner la bonne chère que d'y mêler la musique, et je me vois ici admirablement régalée.

50 MONSIEUR JOURDAIN. Madame, ce n'est pas...

DORANTE. Monsieur Jourdain, prêtons silence à ces messieurs ; ce qu'ils nous diront vaudra mieux que tout ce que nous pourrions dire.

(Les musiciens et la musicienne prennent des verres, chantent deux chansons à boire, et sont soutenus de toute la symphonie.)

PREMIÈRE CHANSON À BOIRE

(1er et 2e musiciens ensemble, un verre à la main.)

Un petit doigt, Philis, pour commencer le tour[1] ;
55 Ah ! qu'un verre en vos mains a d'agréables charmes !
Vous et le vin, vous vous prêtez des armes,
Et je sens pour tous deux redoubler mon amour :
Entre lui, vous et moi, jurons, jurons, ma belle,
Une ardeur éternelle.

60 Qu'en mouillant votre bouche il en reçoit d'attraits,
Et que l'on voit par lui votre bouche embellie !
Ah ! l'un de l'autre ils me donnent envie,
Et de vous et de lui je m'enivre à longs traits :
Entre lui, vous et moi, jurons, jurons, ma belle,
65 Une ardeur éternelle.

1. *Tour* : tournée.

SECONDE CHANSON À BOIRE
(2e et 3e musiciens ensemble.)

Buvons, chers amis, buvons.
Le temps qui fuit nous y convie ;
Profitons de la vie
Autant que nous pouvons :
70 Quand on a passé l'onde noire[1]
Adieu le bon vin, nos amours ;
Dépêchons-nous de boire,
On ne boit pas toujours.

Laissons raisonner les sots
75 Sur le vrai bonheur de la vie ;
Notre philosophie
Le met parmi les pots :
Les biens, le savoir et la gloire
N'ôtent point les soucis fâcheux.
80 Et ce n'est qu'à bien boire
Que l'on peut être heureux.

(Tous trois ensemble.)

Sus, sus, du vin, partout versez, garçons, versez,
Versez, versez toujours tant qu'[2]on vous dise assez.

DORIMÈNE. Je ne crois pas qu'on puisse mieux chanter,
85 et cela est tout à fait beau.

MONSIEUR JOURDAIN. Je vois encore ici, madame, quelque chose de plus beau.

DORIMÈNE. Ouais[3] ! monsieur Jourdain est galant plus que je ne pensais.

1. *Onde noire :* eau du Styx, fleuve des Enfers dans la mythologie grecque.
2. *Tant que :* jusqu'à ce que.
3. *Ouais :* exclamation qui peut marquer la surprise mais qui, au XVIIe siècle, n'a rien de vulgaire.

90 DORANTE. Comment ! madame, pour qui prenez-vous monsieur Jourdain ?

MONSIEUR JOURDAIN. Je voudrais bien qu'elle me prît pour ce que je dirais.

DORIMÈNE. Encore !

95 DORANTE, *à Dorimène.* Vous ne le connaissez pas.

MONSIEUR JOURDAIN. Elle me connaîtra quand il lui plaira.

DORIMÈNE. Oh ! je le quitte[1].

DORANTE. Il est homme qui a toujours la riposte en 100 main. Mais vous ne voyez pas que monsieur Jourdain, madame, mange tous les morceaux que vous touchez[2] ?

DORIMÈNE. Monsieur Jourdain est un homme qui me ravit...

MONSIEUR JOURDAIN. Si je pouvais ravir votre cœur, je 105 serais...

SCÈNE 2. MADAME JOURDAIN, MONSIEUR JOURDAIN, DORIMÈNE, DORANTE, MUSICIENS, MUSICIENNE, LAQUAIS.

MADAME JOURDAIN. Ah ! ah ! je trouve ici bonne compagnie, et je vois bien qu'on ne m'y attendait pas. C'est donc pour cette belle affaire-ci, monsieur mon

1. *Je le quitte* : j'y renonce.
2. Morceaux entamés et laissés par Dorimène, qui se sert la première, comme c'est normal pour une invitée.

mari, que vous avez eu tant d'empressement à m'envoyer
5 dîner chez ma sœur ? Je viens de voir un théâtre là-bas[1], et je vois ici un banquet à faire noces. Voilà comme vous dépensez votre bien, et c'est ainsi que vous festinez[2] les dames en mon absence, et que vous leur donnez la musique et la comédie tandis que vous
10 m'envoyez promener.

DORANTE. Que voulez-vous dire, madame Jourdain ? et quelles fantaisies[3] sont les vôtres de vous aller mettre en tête que votre mari dépense son bien, et que c'est lui qui donne ce régale[4] à madame ? Apprenez que
15 c'est moi, je vous prie ; qu'il ne fait seulement que me prêter sa maison, et que vous devriez un peu mieux regarder aux choses que vous dites.

MONSIEUR JOURDAIN. Oui, impertinente, c'est monsieur le comte qui donne tout ceci à madame, qui est une
20 personne de qualité. Il me fait l'honneur de prendre ma maison, et de vouloir que je sois avec lui.

MADAME JOURDAIN. Ce sont des chansons que cela ; je sais ce que je sais.

DORANTE. Prenez, madame Jourdain, prenez de
25 meilleures lunettes.

MADAME JOURDAIN. Je n'ai que faire de lunettes, monsieur, et je vois assez clair ; il y a longtemps que je sens les choses, et je ne suis pas une bête. Cela est fort vilain à vous pour un grand seigneur, de prêter la
30 main, comme vous faites, aux sottises de mon mari. Et

---

1. *Là-bas :* en bas.
2. *Festiner :* régaler d'un festin.
3. *Fantaisies :* folies.
4. *Régale :* fête. Orthographe courante pour « régal », au XVIIe siècle.

vous, madame, pour une grand'dame, cela n'est ni beau ni honnête à vous de mettre de la dissension[1] dans un ménage et de souffrir que mon mari soit amoureux de vous.

35 DORIMÈNE. Que veut donc dire tout ceci ? Allez, Dorante, vous vous moquez, de m'exposer aux sottes visions[2] de cette extravagante.

DORANTE, *suivant Dorimène qui sort.* Madame, holà ! madame, où courez-vous ?

40 MONSIEUR JOURDAIN. Madame ! monsieur le comte, faites-lui excuses, et tâchez de la ramener.

SCÈNE 3. MADAME JOURDAIN, MONSIEUR JOURDAIN, UN LAQUAIS.

MONSIEUR JOURDAIN. Ah ! impertinente que vous êtes, voilà de vos beaux faits ; vous me venez faire des affronts devant tout le monde, et vous chassez de chez moi des personnes de qualité.

5 MADAME JOURDAIN. Je me moque de leur qualité.

MONSIEUR JOURDAIN. Je ne sais qui me tient[3], maudite, que je ne vous fende la tête avec les pièces du repas que vous êtes venu troubler. *(On ôte la table.)*

MADAME JOURDAIN, *sortant.* Je me moque de cela. Ce

---

1. *Dissension* : discorde pouvant entraîner une séparation.
2. *Visions* : idées folles ou ridicules.
3. *Qui me tient* : ce qui me retient.

10 sont mes droits que je défends, et j'aurai pour moi toutes les femmes.

MONSIEUR JOURDAIN. Vous faites bien d'éviter ma colère.

SCÈNE 4. MONSIEUR JOURDAIN, *seul.*

MONSIEUR JOURDAIN. Elle est arrivée là bien malheureusement. J'étais en humeur de dire de jolies choses et jamais je ne m'étais senti tant d'esprit. Qu'est-ce que c'est que cela ?

quiproquo

Acte IV Scènes 1 à 4

COMPRÉHENSION DU TEXTE

1. Comment qualifier, du point de vue de la langue et du vocabulaire, la longue tirade de Dorante sur les raffinements culinaires, à la scène 1 ? Quelles sont les intentions de Dorante ? de Molière ?

2. Cherchez dans un dictionnaire ce qu'est la « préciosité ». Montrez que Dorante fait ici preuve de préciosité. Relevez en particulier les mots employés au sens figuré.

3. Dorimène est-elle charmée ? Comment le manifeste-t-elle ?

4. Montrez l'habileté de Dorante à la scène 1. En quoi consiste son exploit ?

5. Comment pense-t-il s'en sortir à la scène 2 ? Comment exploite-t-il la situation ?

LE COMIQUE

6. Expliquez pourquoi la partie de la scène 1 sur le diamant (l. 34 à 42) est du plus haut comique. Comment le malentendu se prolonge-t-il ?

7. Caractérisez la façon d'agir de Mme Jourdain à la scène 2. Montrez le contraste avec le savoir-vivre que prétend adopter son mari.

ÉVOLUTION DE L'ACTION

8. Montrez que la scène 1 prolonge la dernière scène de l'acte précédent.

9. Pour quelle raison Molière intègre-t-il des divertissements musicaux dans l'action ? Quel est son but dans la scène 1 ?

10. Dans la scène 2, l'intervention de Mme Jourdain est-elle un véritable coup de théâtre ? Dites pourquoi et comment Molière donne de l'originalité à une scène qui présente une situation traditionnelle (une femme découvrant son mari en galante compagnie).

11. Pensez-vous que Molière aurait eu intérêt à développer davantage la scène de ménage à la scène 3 ?

12. Dans la scène 4, la colère de M. Jourdain dure-t-elle longtemps ? Quel autre sentiment l'emporte dans sa réplique ?

SCÈNE 5. COVIELLE, *déguisé*, MONSIEUR JOURDAIN, LAQUAIS.

COVIELLE. Monsieur, je ne sais pas si j'ai l'honneur d'être connu de vous ?

MONSIEUR JOURDAIN. Non, monsieur.

COVIELLE, *étendant la main à un pied de terre.* Je vous ai
5 vu que vous n'étiez pas plus grand que cela.

MONSIEUR JOURDAIN. Moi ?

COVIELLE. Oui. Vous étiez le plus bel enfant du monde, et toutes les dames vous prenaient dans leurs bras pour vous baiser.

10 MONSIEUR JOURDAIN. Pour me baiser ?

COVIELLE. Oui. J'étais grand ami de feu[1] monsieur votre père.

MONSIEUR JOURDAIN. De feu monsieur mon père ?

COVIELLE. Oui. C'était un fort honnête gentilhomme.

15 MONSIEUR JOURDAIN. Comment dites-vous ?

COVIELLE. Je dis que c'était un fort honnête gentilhomme.

MONSIEUR JOURDAIN. Mon père ?

COVIELLE. Oui.

20 MONSIEUR JOURDAIN. Vous l'avez fort connu ?

COVIELLE. Assurément.

MONSIEUR JOURDAIN. Et vous l'avez connu pour gentilhomme ?

1. *Feu* : décédé, mort.

COVIELLE. Sans doute.

25 MONSIEUR JOURDAIN. Je ne sais donc pas comment le monde est fait.

COVIELLE. Comment ?

MONSIEUR JOURDAIN. Il y a de sottes gens qui me veulent dire qu'il a été marchand.

30 COVIELLE. Lui, marchand ! C'est pure médisance, il ne l'a jamais été. Tout ce qu'il faisait, c'est qu'il était fort obligeant, fort officieux[1], et, comme il se connaissait fort bien en étoffes, il en allait choisir de tous les côtés, les faisait apporter chez lui, et en donnait à ses amis 35 pour de l'argent.

MONSIEUR JOURDAIN. Je suis ravi de vous connaître, afin que vous rendiez ce témoignage-là que mon père était gentilhomme.

COVIELLE. Je le soutiendrai devant tout le monde.

40 MONSIEUR JOURDAIN. Vous m'obligerez. Quel sujet vous amène ?

COVIELLE. Depuis avoir connu feu monsieur votre père, honnête gentilhomme, comme je vous ai dit, j'ai voyagé par tout le monde.

45 MONSIEUR JOURDAIN. Par tout le monde !

COVIELLE. Oui.

MONSIEUR JOURDAIN. Je pense qu'il y a bien loin en ce pays-là.

COVIELLE. Assurément. Je ne suis revenu de tous mes 50 longs voyages que depuis quatre jours ; et, par l'intérêt

1. *Officieux* : serviable.

que je prends à tout ce qui vous touche, je viens vous annoncer la meilleure nouvelle du monde.

MONSIEUR JOURDAIN. Quelle ?

COVIELLE. Vous savez que le fils du Grand Turc est
55 ici ?

MONSIEUR JOURDAIN. Moi ? non.

COVIELLE. Comment ! Il a un train[1] tout à fait magnifique : tout le monde le va voir, et il a été reçu en ce pays comme un seigneur d'importance.

60 MONSIEUR JOURDAIN. Par ma foi, je ne savais pas cela.

COVIELLE. Ce qu'il y a d'avantageux pour vous, c'est qu'il est amoureux de votre fille.

MONSIEUR JOURDAIN. Le fils du Grand Turc ?

COVIELLE. Oui ; et il veut être votre gendre.

65 MONSIEUR JOURDAIN. Mon gendre, le fils du Grand Turc ?

COVIELLE. Le fils du Grand Turc votre gendre. Comme je le fus voir, et que j'entends parfaitement sa langue, il s'entretint avec moi ; et, après quelques autres discours,
70 il me dit : *Acciam croc soler ouch alla moustaph gidelum amanahem varahini oussere carbulath.* C'est-à-dire : « N'as-tu point vu une jeune belle personne qui est la fille de monsieur Jourdain, gentilhomme parisien ? »

MONSIEUR JOURDAIN. Le fils du Grand Turc dit cela de
75 moi ?

COVIELLE. Oui. Comme je lui eus répondu que je vous connaissais particulièrement et que j'avais vu votre

1. *Un train* : un cortège, une escorte, une suite de gens qui l'accompagnent.

fille : « Ah ! me dit-il, *Marababa sahem* » ; c'est-à-dire : « Ah ! que je suis amoureux d'elle ! »

80 MONSIEUR JOURDAIN. *Marababa sahem* veut dire : Ah ! que je suis amoureux d'elle ?

COVIELLE. Oui.

MONSIEUR JOURDAIN. Par ma foi, vous faites bien de me le dire, car, pour moi, je n'aurais jamais cru que 85 ce *Marababa sahem* eût voulu dire : Ah ! que je suis amoureux d'elle ! Voilà une langue admirable que ce turc !

COVIELLE. Plus admirable qu'on ne peut croire. Savez-vous bien ce que veut dire *Cacaracamouchen ?*

90 MONSIEUR JOURDAIN. *Cacaracamouchen ?* Non.

COVIELLE. C'est-à-dire : « Ma chère âme. »

MONSIEUR JOURDAIN. *Cacaracamouchen* veut dire : Ma chère âme ?

COVIELLE. Oui.

95 MONSIEUR JOURDAIN. Voilà qui est merveilleux ! *Cacaracamouchen,* ma chère âme : dirait-on jamais cela ? Voilà qui me confond.

COVIELLE. Enfin, pour achever mon ambassade[1], il vient vous demander votre fille en mariage ; et pour avoir 100 un beau-père qui soit digne de lui, il veut vous faire *Mamamouchi*[2], qui est une certaine grande dignité de son pays.

MONSIEUR JOURDAIN. *Mamamouchi ?*

---

1. *Ambassade :* mission.
2. *Mamamouchi :* Littré, auteur d'un dictionnaire au XIXe siècle, avance que ce mot créé par Molière d'après *mà menou schi* (« non bonne chose », en arabe) signifie « propre à rien ».

COVIELLE. Oui, *Mamamouchi* ; c'est-à-dire, en notre
105 langue, paladin. Paladin [1], ce sont de ces anciens... Paladin enfin ! Il n'y a rien de plus noble que cela dans le monde ; et vous irez de pair avec les plus grands seigneurs de la terre.

MONSIEUR JOURDAIN. Le fils du Grand Turc m'honore
110 beaucoup, et je vous prie de me mener chez lui pour lui en faire mes remerciements.

COVIELLE. Comment ! le voilà qui va venir ici.

MONSIEUR JOURDAIN. Il va venir ici ?

COVIELLE. Oui ; et il amène toutes choses pour la
115 cérémonie de votre dignité.

MONSIEUR JOURDAIN. Voilà qui est bien prompt.

COVIELLE. Son amour ne peut souffrir aucun retardement[2].

MONSIEUR JOURDAIN. Tout ce qui m'embarrasse ici, c'est
120 que ma fille est une opiniâtre qui s'est allé mettre dans la tête un certain Cléonte, et elle jure de n'épouser personne que celui-là.

COVIELLE. Elle changera de sentiment quand elle verra le fils du Grand Turc ; et puis il se rencontre ici une
125 aventure merveilleuse : c'est que le fils du Grand Turc ressemble à ce Cléonte, à peu de chose près. Je viens de le voir, on me l'a montré ; et l'amour qu'elle a pour l'un pourra passer aisément à l'autre, et... Je l'entends venir ; le voilà.

---

1. *Paladin* : seigneur de la cour de Charlemagne.
2. *Retardement* : mot employé au XVIIe siècle pour « retard ».

SCÈNE 6. CLÉONTE, *en Turc, avec trois pages portant sa veste,* MONSIEUR JOURDAIN, COVIELLE, *déguisé.*

CLÉONTE. *Ambousahim oqui boraf, Jordina, salamalequi*[1].

COVIELLE, *à M. Jourdain.* C'est-à-dire : « Monsieur Jourdain, votre cœur soit toute l'année comme un rosier fleuri. » Ce sont façons de parler obligeantes de ces
5 pays-là.

MONSIEUR JOURDAIN. Je suis très humble serviteur de Son Altesse Turque.

COVIELLE. *Carigar camboto oustin moraf.*

CLÉONTE. *Oustin yoc catamalequi basum base alla moran.*

10 COVIELLE. Il dit que le ciel vous donne la force des lions et la prudence des serpents.

MONSIEUR JOURDAIN. Son Altesse Turque m'honore trop, et je lui souhaite toutes sortes de prospérités.

COVIELLE. *Ossa binamen sadoc babally oracaf ouram.*

15 CLÉONTE. *Bel-men*[2].

COVIELLE. Il dit que vous alliez vite avec lui vous préparer pour la cérémonie, afin de voir ensuite votre fille et de conclure le mariage.

MONSIEUR JOURDAIN. Tant de choses en deux mots ?

20 COVIELLE. Oui ; la langue turque est comme cela, elle dit beaucoup en peu de paroles. Allez vite où il souhaite.

---

1. *Salamalequi* : expression de salutation arabe (« que la paix soit sur ta tête »), d'où est tiré « salamalec », révérence d'une politesse excessive.
2. *Bel-men* : du turc *bil men*, « je ne sais pas ».

SCÈNE 7. COVIELLE, *seul.*

COVIELLE. Ha ! ha ! ha ! Ma foi, cela est tout à fait drôle. Quelle dupe ! Quand il aurait appris son rôle par cœur, il ne pourrait pas le mieux jouer. Ah ! ah !

SCÈNE 8. DORANTE, COVIELLE.

COVIELLE. Je vous prie, monsieur, de nous vouloir aider céans dans une affaire qui s'y passe.

DORANTE. Ah ! ah ! Covielle, qui t'aurait reconnu ? Comme te voilà ajusté !

5 COVIELLE. Vous voyez. Ah ! ah !

DORANTE. De quoi ris-tu ?

COVIELLE. D'une chose, monsieur, qui le mérite bien.

DORANTE. Comment ?

COVIELLE. Je vous le donnerais en bien des fois,
10 monsieur, à deviner le stratagème[1] dont nous nous servons auprès de monsieur Jourdain pour porter son esprit à donner sa fille à mon maître.

DORANTE. Je ne devine point le stratagème, mais je devine qu'il ne manquera pas de faire son effet, puisque
15 tu l'entreprends.

COVIELLE. Je sais, monsieur, que la bête vous est connue[2].

---

1. *Stratagème* : ruse.
2. *La bête vous est connue* : vous me connaissez bien (expression populaire).

DORANTE. Apprends-moi ce que c'est.

COVIELLE. Prenez la peine de vous tirer un peu plus
20 loin pour faire place à ce que j'aperçois venir. Vous pourrez voir une partie de l'histoire, tandis que je vous conterai le reste.

(La cérémonie turque pour anoblir le Bourgeois se fait en danse et en musique, et compose le quatrième intermède.)

Pour *le Bourgeois gentilhomme* Molière s'était inspiré de l'actualité :
la visite des Turcs à Paris.
Une interprétation de Jérôme Savary, 1989.

La cérémonie turque

LE MUFTI, TURCS, DERVIS, *chantant et dansant,*
MONSIEUR JOURDAIN, *vêtu à la turque,*
la tête rasée, sans turban et sans sabre.

PREMIÈRE ENTRÉE DE BALLET

Six Turcs entrent gravement, deux à deux, au son des instruments. Ils portent trois tapis, qu'ils lèvent fort haut, après en avoir fait, en dansant, plusieurs figures. Les Turcs chantant passent par-dessous ces tapis, pour s'aller ranger aux deux côtés du théâtre. Le Mufti[1]*, accompagné des Dervis*[2]*, ferme cette marche.*

Les Turcs étendent les tapis par terre et se mettent dessus à genoux. Le Mufti et les Dervis restent debout au milieu d'eux ; et pendant que le Mufti invoque Mahomet, en faisant beaucoup de contorsions et de grimaces, sans proférer une seule parole, les Turcs assistants se prosternent jusqu'à terre, chantant Alli, *lèvent les bras au ciel en chantant* Alla ; *ce qu'ils continuent jusqu'à la fin de l'évocation. Alors ils se relèvent tous chantant* Alla eckber *(« Dieu est grand ») ; et deux Dervis vont chercher M. Jourdain.*

---

1. *Mufti* : dignitaire de la religion musulmane, chargé d'interpréter le Coran.
2. *Dervi* : religieux musulman (derviche).

	TEXTE	TRADUCTION
	LE MUFTI, *à M. Jourdain*	
	Se ti sabir[1],	Si toi savoir,
	Ti respondir ;	Toi répondre ;
	Se non sabir,	Si ne pas savoir,
	Tazir, tazir.	Te taire, te taire.
5	Mi star mufti.	Moi être mufti.
	Ti qui star, ti ?	Toi, qui être, toi ?
	Non intendir ?	Pas entendre ?
	Tazir, tazir.	Te taire, te taire.
	(Deux Dervis font retirer M. Jourdain.)	
	LE MUFTI	
	Dice, Turque, qui star	Dis, Turc, qui être celui-là ?
10	[quista ?	
	Anabatista ? Anabatista ?	Anabaptiste[2] ? Anabaptiste ?
	LES TURCS	
	Ioc.	Non.
	LE MUFTI	
	Zuinglista ?	Zwinglien[3] ?
	LES TURCS	
	Ioc.	Non.
	LE MUFTI	
15	Coffita ?	Cophte[4] ?

1. *Sabir* : ces couplets sont écrits précisément dans un jargon qu'on nomme « sabir » (mélange de français, d'italien, d'espagnol et d'arabe, parlé dans les ports du Maghreb et du Moyen-Orient).
2. *Anabaptiste* : membre d'une des sectes de l'Église réformée, créée en Allemagne au temps de Luther.
3. *Zwinglien* : membre de la secte réformée fondée par le Suisse Zwingli (1484-1531).
4. *Cophte* : ou « copte », chrétien d'Égypte ou d'Éthiopie.

	TEXTE	TRADUCTION
	LES TURCS	
	Ioc.	Non.
	LE MUFTI	
	Hussita ? Morista ? [Fronista ?	Hussite[1] ? More ? [Phrontiste[2] ?
	LES TURCS	
	Ioc, ioc, ioc !	Non, non, non !
	LE MUFTI	
20	Ioc, ioc, ioc ! Star Pagana ?	Non, non, non ! Être [païen ?
	LES TURCS	
	Ioc.	Non.
	LE MUFTI	
	Luterana ?	Luthérien ?
	LES TURCS	
	Ioc.	Non.
	LE MUFTI	
	Puritana ?	Puritain[3] ?
	LES TURCS	
25	Ioc.	Non.
	LE MUFTI	
	Bramina ? Moffina ? [Zurina ?	Bramine[4] ? ... ? ... ?

1. *Hussite :* partisan de Jan Hus (v. 1370-1415), réformateur et patriote tchèque.
2. *Phrontiste :* contemplatif.
3. *Puritain :* membre des sectes presbytériennes anglaises qui s'opposaient au pape.
4. *Bramine :* de religion hindoue (brahmane). Les deux noms qui suivent semblent inventés.

	TEXTE	TRADUCTION
	LES TURCS	
	Ioc, ioc, ioc !	Non, non, non !
	LE MUFTI	
	Ioc, ioc, ioc ! Mahametana ?	Non, non, non !
30	[Mahametana ?	[Mahométan ? [Mahométan ?
	LES TURCS	
	Hi Valla. Hi Valla.	Oui, par Dieu. Oui, par [Dieu.
	LE MUFTI	
	Como chamara ? *(bis)*	Comment s'appelle-t-il ? [*(bis)*
	LES TURCS	
	Giourdina. *(bis)*	Jourdain. *(bis)*
	LE MUFTI, *sautant et regardant de côté et d'autre.*	
	Giourdina ? *(ter)*	Jourdain ? *(ter)*
	LES TURCS	
35	Giourdina. *(ter)*	Jourdain. *(ter)*
	LE MUFTI	
	Mahameta, per Giourdina,	Mahomet, pour Jourdain,
	Mi pregar sera e matina.	Moi prier soir et matin.
	Voler far un paladina	Vouloir faire un paladin
	De Giourdina, de Giourdina.	De Jourdain, de Jourdain.
40	Dar turbanta é dar scarcina,	Donner turban et donner [sabre,
	Con galera é brigantina,	Avec galère et brigantine[1],
	Per deffender Palestina.	Pour défendre la Palestine.

1. *Brigantine* : voilier à deux mâts, plus léger que la galère.

TEXTE	TRADUCTION
Mahameta, per Giourdina	Mahomet, pour Jourdain
Mi pregar sera e matina.	Moi prier soir et matin.
(Aux Turcs.)	
45 Star bon Turca, Giourdina ?	Est-il bon Turc, Jourdain ?
LES TURCS	
Hi Valla. Hi Valla !	Oui, par Dieu. Oui, par [Dieu !
LE MUFTI, *chantant et dansant.*	
Ha, la, ba, ba, la, chou,	*(On peut comprendre :)*
ba, la, ba, ba, la, da.	Dieu, mon père, mon père, [Dieu.

LES TURCS
Ha, la, ba, ba, la, chou, ba, la, ba, ba, la, da.

DEUXIÈME ENTRÉE DE BALLET

Le Mufti revient coiffé avec son turban de cérémonie, qui est d'une grosseur démesurée, et garni de bougies allumées à quatre ou cinq rangs ; il est accompagné de deux Dervis qui portent l'Alcoran[1] et qui ont des bonnets pointus, garnis aussi de bougies allumées.
Les deux autres Dervis amènent le Bourgeois, qui est tout épouvanté de cette cérémonie, et le font mettre à genoux, les mains par terre, de façon que son dos, sur lequel est mis l'Alcoran, serve de pupitre au Mufti. Le Mufti fait une seconde invocation burlesque, fronçant les sourcils et ouvrant

1. *Alcoran :* le Coran, livre sacré de la religion musulmane.

la bouche, sans dire mot ; puis parlant avec véhémence, tantôt radoucissant sa voix, tantôt la poussant d'un enthousiasme à faire trembler, se tenant les côtes avec les mains comme pour faire sortir les paroles, frappant de temps en temps sur l'Alcoran, et tournant les feuillets avec précipitation. Après quoi, en levant les bras au ciel, le Mufti crie à haute voix :
50 Hou !
Pendant cette seconde invocation, les Turcs assistants s'inclinent trois fois et trois fois se relèvent, en chantant aussi : Hou, hou, hou.

MONSIEUR JOURDAIN, *après qu'on lui a ôté l'Alcoran de dessus le dos.* Ouf !

TEXTE	TRADUCTION
LE MUFTI, *à M. Jourdain.*	
Ti non star furba ?	Toi, n'être pas fourbe ?
LES TURCS	
55 No, no, no !	Non, non, non !
LE MUFTI	
Non star forfanta ?	N'être pas imposteur ?
LES TURCS	
No, no, no !	Non, non, non !
LE MUFTI	
Donar turbanta. *(bis)*	Donner turban. *(bis)*
LES TURCS	
Ti non star furba ?	Toi, n'être pas fourbe ?
60 No, no, no.	Non, non, non !
Non star forfanta ?	N'être pas imposteur ?
No, no, no.	Non, non, non !
Donar turbanta. *(bis)*	Donner turban. *(bis)*

TROISIÈME ENTRÉE DE BALLET

Les Turcs, dansant et chantant, mettent le turban sur la tête de M. Jourdain au son des instruments.

LE MUFTI, *donnant le sabre à M. Jourdain.*

Ti star nobile, non star [fabbola.	Toi être noble, ce n'est pas [une fable.
65 Pigliar schiabbola.	Prends le sabre.

LES TURCS, *mettant tous le sabre à la main, reprennent ces paroles.*

QUATRIÈME ENTRÉE DE BALLET

Les Turcs, dansant, donnent en cadence plusieurs coups de sabre à M. Jourdain.

LE MUFTI

Dara, dara.	Donnez, donnez.
Bastonnara. *(ter)*	Bastonnade. *(ter)*

LES TURCS *reprennent ces paroles.*

CINQUIÈME ENTRÉE DE BALLET

Les Turcs, dansant, donnent à M. Jourdain des coups de bâton en cadence.

LE MUFTI

Non tener honta ;	N'avoir pas honte ;
70 Questa star l'ultima [affronta.	Ceci être le dernier affront.

Le Mufti commence une troisième invocation. Les Dervis le soutiennent par-dessous le bras avec respect ; après quoi les Turcs chantant et dansant, sautant autour du Mufti, se retirent avec lui et emmènent M. Jourdain.

Le Grand Mamamouchi (Roland Bertin).
Mise en scène de Jean-Luc Boutté à la Comédie-Française, 1986.

Acte IV Scènes 5 à 8 et la cérémonie turque

COMPRÉHENSION DU TEXTE

1. Pour quelle raison M. Jourdain se trouve-t-il aussi rapidement pris au piège à la scène 5 ? Montrez que Covielle connaît bien ses faiblesses.

2. Dans ses projets de mariage de sa fille avec le fils du Grand Turc, M. Jourdain songe-t-il beaucoup à ce que peut penser sa fille d'un tel mariage ?

3. La réplique « Voilà qui est bien prompt » (sc. 5, l. 116), prononcée par M. Jourdain, devance-t-elle une objection du spectateur ? Laquelle ?

LE COMIQUE

4. De quoi rit-on dans la scène 5 ? Montrez, en vous reportant à la scène 4 de l'acte II, que certaines des réactions de M. Jourdain nous sont déjà connues. Comment se manifestent la naïveté et la stupidité de M. Jourdain ?

5. Montrez que la scène 5 sert de transition pour passer de la comédie de mœurs à la farce bouffonne.

6. Le comique de mots à la scène 6 : montrez qu'il s'agit d'une parodie de la politesse orientale.

7. Le comique de la cérémonie turque : comparez-le à la cérémonie du *Malade imaginaire*.

ÉVOLUTION DE L'ACTION

8. Comment la scène 6 complète-t-elle la précédente ?

9. Était-il nécessaire que Dorante fût mis au courant du « stratagème », comme il le dit en répétant les propres mots de Covielle (sc. 8) ? Dites pourquoi.

10. Qu'en est-il des intrigues entre Dorante et Dorimène, entre M. Jourdain et Dorimène ? Que devient le projet de mariage entre Cléonte et Lucile ?

Marie-Armelle Deguy (Dorimène) et Alain Pralon
(Dorante) dans la mise en scène de Jean-Luc Boutté
à la Comédie-Française, 1986.

Acte V

SCÈNE PREMIÈRE. MADAME JOURDAIN, MONSIEUR JOURDAIN.

MADAME JOURDAIN. Ah ! mon Dieu ! miséricorde ! Qu'est-ce que c'est donc que cela ? Quelle figure ! Est-ce un momon[1] que vous allez porter, et est-il temps d'aller en masque ? Parlez donc, qu'est-ce que c'est que
5 ceci ? Qui vous a fagoté comme cela ?

MONSIEUR JOURDAIN. Voyez l'impertinente, de parler de la sorte à un *Mamamouchi !*

MADAME JOURDAIN. Comment donc ?

MONSIEUR JOURDAIN. Oui, il me faut porter du respect
10 maintenant, et l'on vient de me faire *Mamamouchi.*

MADAME JOURDAIN. Que voulez-vous dire avec votre *Mamamouchi ?*

MONSIEUR JOURDAIN. *Mamamouchi,* vous dis-je. Je suis *Mamamouchi.*

15 MADAME JOURDAIN. Quelle bête est-ce là ?

MONSIEUR JOURDAIN. *Mamamouchi,* c'est-à-dire, en notre langue, paladin.

MADAME JOURDAIN. Baladin ! Êtes-vous en âge de danser des ballets ?

1. *Momon :* pendant le carnaval, défi que se portent au jeu de dés des personnages masqués.

20 MONSIEUR JOURDAIN. Quelle ignorante ! Je dis paladin ; c'est une dignité dont on vient de me faire la cérémonie.

MADAME JOURDAIN. Quelle cérémonie donc ?

MONSIEUR JOURDAIN. *Mahameta per Jordina.*

MADAME JOURDAIN. Qu'est-ce que cela veut dire ?

25 MONSIEUR JOURDAIN. *Jordina,* c'est-à-dire Jourdain.

MADAME JOURDAIN. Hé bien quoi, Jourdain ?

MONSIEUR JOURDAIN. *Voler far un paladina dé Jordina.*

MADAME JOURDAIN. Comment ?

MONSIEUR JOURDAIN. *Dar turbanta con galera.*

30 MADAME JOURDAIN. Qu'est-ce à dire cela ?

MONSIEUR JOURDAIN. *Per deffender Palestina.*

MADAME JOURDAIN. Que voulez-vous donc dire ?

MONSIEUR JOURDAIN. *Dara, dara, bastonnara.*

MADAME JOURDAIN. Qu'est-ce donc que ce jargon-là ?

35 MONSIEUR JOURDAIN. *Non tener honta, questa star l'ultima affronta.*

MADAME JOURDAIN. Qu'est-ce que c'est donc que tout cela ?

MONSIEUR JOURDAIN, *danse et chante.* *Hou la ba, ba la*
40 *chou, ba la ba, ba la da. (Il tombe par terre.)*

MADAME JOURDAIN. Hélas ! mon Dieu, mon mari est devenu fou.

MONSIEUR JOURDAIN, *se relevant et sortant.* Paix, insolente ! portez respect à monsieur le *Mamamouchi.*

45 MADAME JOURDAIN, *seule.* Où est-ce qu'il a donc perdu l'esprit ? Courons l'empêcher de sortir. *(Apercevant Dorimène et Dorante.)* Ah ! ah ! voici justement le reste

de notre écu[1]. Je ne vois que chagrin de tous les côtés. *(Elle sort.)*

SCÈNE 2. DORANTE, DORIMÈNE.

DORANTE. Oui, madame, vous verrez la plus plaisante chose qu'on puisse voir ; et je ne crois pas que dans tout le monde il soit possible de trouver encore un homme aussi fou que celui-là ; et puis, madame, il faut tâcher de servir l'amour de Cléonte et d'appuyer toute sa mascarade. C'est un fort galant homme et qui mérite que l'on s'intéresse pour lui.

DORIMÈNE. J'en fais beaucoup de cas, et il est digne d'une bonne fortune[2].

DORANTE. Outre cela, nous avons ici, madame, un ballet qui nous revient, que nous ne devons pas laisser perdre, et il faut bien voir si mon idée pourra réussir.

DORIMÈNE. J'ai vu là des apprêts magnifiques, et ce sont des choses, Dorante, que je ne puis plus souffrir. Oui, je veux enfin vous empêcher vos profusions ; et, pour rompre le cours à toutes les dépenses que je vous vois faire pour moi, j'ai résolu de me marier promptement avec vous. C'en est le vrai secret, et toutes ces choses finissent avec le mariage.

DORANTE. Ah ! madame, est-il possible que vous ayez pu prendre pour moi une si douce résolution ?

---

1. *Le reste de notre écu :* ce qui complète notre malheur.
2. *Bonne fortune :* destinée heureuse.

DORIMÈNE. Ce n'est que pour vous empêcher de vous ruiner ; et sans cela je vois bien qu'avant qu'il fût peu vous n'auriez pas un sou.

DORANTE. Que j'ai d'obligation, madame, aux soins que vous avez de conserver mon bien ! Il est entièrement à vous, aussi bien que mon cœur, et vous en userez de la façon qu'il vous plaira.

DORIMÈNE. J'userai bien de tous les deux. Mais voici votre homme : la figure[1] en est admirable.

SCÈNE 3. MONSIEUR JOURDAIN, DORANTE, DORIMÈNE.

DORANTE. Monsieur, nous venons rendre hommage, madame et moi, à votre nouvelle dignité, et nous réjouir avec vous du mariage que vous faites de votre fille avec le fils du Grand Turc.

MONSIEUR JOURDAIN, *après avoir fait les révérences à la turque.* Monsieur, je vous souhaite la force des serpents et la prudence des lions.

DORIMÈNE. J'ai été bien aise d'être des premières, monsieur, à venir vous féliciter du haut degré de gloire où vous êtes monté.

MONSIEUR JOURDAIN. Madame, je vous souhaite toute l'année votre rosier fleuri ; je vous suis infiniment obligé de prendre part aux honneurs qui m'arrivent, et j'ai beaucoup de joie de vous voir revenue ici, pour vous

1. *Figure :* apparence extérieure d'une personne.

15 faire les très humbles excuses de l'extravagance de ma femme.

DORIMÈNE. Cela n'est rien ; j'excuse en elle un pareil mouvement : votre cœur lui doit être précieux, et il n'est pas étrange que la possession d'un homme comme
20 vous puisse inspirer quelques alarmes.

MONSIEUR JOURDAIN. La possession de mon cœur est une chose qui vous est tout acquise.

DORANTE. Vous voyez, madame, que monsieur Jourdain n'est pas de ces gens que les prospérités aveuglent, et
25 qu'il sait, dans sa gloire, connaître encore ses amis.

DORIMÈNE. C'est la marque d'une âme tout à fait généreuse.

DORANTE. Où est donc Son Altesse Turque ? Nous voudrions bien, comme vos amis, lui rendre nos devoirs.

30 MONSIEUR JOURDAIN. Le voilà qui vient, et j'ai envoyé quérir ma fille pour lui donner la main[1].

SCÈNE 4. CLÉONTE, *habillé en Turc,* COVIELLE, MONSIEUR JOURDAIN, etc.

DORANTE, *à Cléonte.* Monsieur, nous venons faire la révérence à Votre Altesse comme amis de monsieur votre beau-père, et l'assurer avec respect de nos très humbles services.

5 MONSIEUR JOURDAIN. Où est le truchement[2] pour lui

---

1. *Lui donner la main* : décider de son mariage.
2. *Truchement* : intermédiaire, interprète.

dire qui vous êtes et lui faire entendre ce que vous dites ? Vous verrez qu'il vous répondra ; et il parle turc à merveille. Holà ! où diantre est-il allé ? *(À Cléonte.)* *Strouf, strif, strof, straf.* Monsieur est un *grande segnore,*
10 *grande segnore, grande segnore* ; et, madame, une *granda dama, granda dama.* *(Voyant qu'il ne se fait point entendre.)* *Ahi !* *(À Cléonte, montrant Dorante.)* Lui monsieur, lui *Mamamouchi* français et madame, *Mamamouchie* française. Je ne puis pas parler plus clairement. Bon ! voici
15 l'interprète.

SCÈNE 5. MONSIEUR JOURDAIN, DORIMÈNE, DORANTE, CLÉONTE, *en Turc,* COVIELLE, *déguisé.*

MONSIEUR JOURDAIN. Où allez-vous donc ? Nous ne saurions rien dire sans vous. *(Montrant Cléonte.)* Dites-lui un peu que monsieur et madame sont des personnes de grande qualité qui lui viennent faire la révérence
5 comme mes amis, et l'assurer de leurs services. *(À Dorimène et à Dorante.)* Vous allez voir comme il va répondre.

COVIELLE. *Alabala crociam acci boram alabamen.*

CLÉONTE. *Catalequi tubal ourin soter amalouchan.*

10 MONSIEUR JOURDAIN, *à Dorimène et à Dorante.* Voyez-vous ?

COVIELLE. Il dit que la pluie des prospérités arrose en tout temps le jardin de votre famille.

MONSIEUR JOURDAIN. Je vous l'avais bien dit, qu'il parle
15 turc !

DORANTE. Cela est admirable.

SCÈNE 6. LUCILE, MONSIEUR JOURDAIN, DORANTE, DORIMÈNE, CLÉONTE, COVIELLE.

MONSIEUR JOURDAIN. Venez, ma fille ; approchez-vous, et venez donner votre main à monsieur, qui vous fait l'honneur de vous demander en mariage.

LUCILE. Comment ! mon père, comme vous voilà fait !
5 Est-ce une comédie que vous jouez ?

MONSIEUR JOURDAIN. Non, non, ce n'est pas une comédie, c'est une affaire fort sérieuse, et la plus pleine d'honneur pour vous qui se peut souhaiter. *(Montrant Cléonte.)* Voilà le mari que je vous donne.

10 LUCILE. À moi, mon père ?

MONSIEUR JOURDAIN. Oui, à vous. Allons, touchez-lui dans la main, et rendez grâces au ciel de votre bonheur.

LUCILE. Je ne veux point me marier.

MONSIEUR JOURDAIN. Je le veux, moi, qui suis votre
15 père.

LUCILE. Je n'en ferai rien.

MONSIEUR JOURDAIN. Ah ! que de bruit ! Allons, vous dis-je. Çà, votre main.

LUCILE. Non, mon père, je vous l'ai dit, il n'est point
20 de pouvoir qui me puisse obliger à prendre un autre mari que Cléonte ; et je me résoudrai plutôt à toutes les extrémités que de... *(Reconnaissant Cléonte.)* Il est vrai que vous êtes mon père, je vous dois entière obéissance ; et c'est à vous à disposer de moi selon
25 vos volontés.

MONSIEUR JOURDAIN. Ah ! je suis ravi de vous voir si promptement revenue dans votre devoir ; et voilà qui me plaît d'avoir une fille obéissante.

SCÈNE 7. MADAME JOURDAIN, MONSIEUR JOURDAIN, CLÉONTE, LUCILE, DORANTE, DORIMÈNE, COVIELLE.

MADAME JOURDAIN. Comment donc ? qu'est-ce que c'est que ceci ? On dit que vous voulez donner votre fille en mariage à un carême-prenant ?

MONSIEUR JOURDAIN. Voulez-vous vous taire,
5 impertinente ? Vous venez toujours mêler vos extravagances à toutes choses, et il n'y a pas moyen de vous apprendre à être raisonnable.

MADAME JOURDAIN. C'est vous qu'il n'y a pas moyen de rendre sage, et vous allez de folie en folie. Quel est
10 votre dessein, et que voulez-vous faire avec cet assemblage ?

MONSIEUR JOURDAIN. Je veux marier notre fille avec le fils du Grand Turc.

MADAME JOURDAIN. Avec le fils du Grand Turc ?

15 MONSIEUR JOURDAIN, *montrant Covielle.* Oui. Faites-lui faire vos compliments par le truchement que voilà.

MADAME JOURDAIN. Je n'ai que faire de truchement, et je lui dirai bien moi-même, à son nez, qu'il n'aura point ma fille.

20 MONSIEUR JOURDAIN. Voulez-vous vous taire, encore une fois ?

DORANTE. Comment ! madame Jourdain, vous vous opposez à un honneur comme celui-là ? Vous refusez Son Altesse Turque pour gendre ?

25 MADAME JOURDAIN. Mon Dieu, monsieur, mêlez-vous de vos affaires.

DORIMÈNE. C'est une grande gloire, qui n'est pas à rejeter.

MADAME JOURDAIN. Madame, je vous prie aussi de ne vous point embarrasser de ce qui ne vous touche pas.

DORANTE. C'est l'amitié que nous avons pour vous qui nous fait intéresser dans vos avantages[1].

MADAME JOURDAIN. Je me passerai bien de votre amitié.

DORANTE. Voilà votre fille qui consent aux volontés de son père.

MADAME JOURDAIN. Ma fille consent à épouser un Turc ?

DORANTE. Sans doute.

MADAME JOURDAIN. Elle peut oublier Cléonte ?

DORANTE. Que ne fait-on pas pour être grand'dame ?

MADAME JOURDAIN. Je l'étranglerais de mes mains, si elle avait fait un coup comme celui-là.

MONSIEUR JOURDAIN. Voilà bien du caquet. Je vous dis que ce mariage-là se fera.

MADAME JOURDAIN. Je vous dis, moi, qu'il ne se fera point.

MONSIEUR JOURDAIN. Ah ! que de bruit !

LUCILE. Ma mère !

MADAME JOURDAIN. Allez, vous êtes une coquine.

MONSIEUR JOURDAIN, *à Mme Jourdain.* Quoi ! vous la querellez de ce qu'elle m'obéit ?

MADAME JOURDAIN. Oui, elle est à moi aussi bien qu'à vous.

COVIELLE, *à Mme Jourdain.* Madame !

---

1. *Avantages* : intérêts.

55 MADAME JOURDAIN. Que me voulez-vous conter, vous ?

COVIELLE. Un mot.

MADAME JOURDAIN. Je n'ai que faire de votre mot.

COVIELLE, *à M. Jourdain.* Monsieur, si elle veut écouter
60 une parole en particulier, je vous promets de la faire consentir à ce que vous voulez.

MADAME JOURDAIN. Je n'y consentirai point.

COVIELLE. Écoutez-moi seulement.

MADAME JOURDAIN. Non.

65 MONSIEUR JOURDAIN, *à Mme Jourdain.* Écoutez-le.

MADAME JOURDAIN. Non, je ne veux pas écouter.

MONSIEUR JOURDAIN. Il vous dira...

MADAME JOURDAIN. Je ne veux point qu'il me dise rien.

MONSIEUR JOURDAIN. Voilà une grande obstination de
70 femme ! Cela vous fera-t-il mal de l'entendre ?

COVIELLE. Ne faites que m'écouter, vous ferez après ce qu'il vous plaira.

MADAME JOURDAIN. Hé bien, quoi ?

COVIELLE, *à part à Mme Jourdain.* Il y a une heure,
75 madame, que nous vous faisons signe. Ne voyez-vous pas bien que tout ceci n'est fait que pour nous ajuster aux visions de votre mari, que nous l'abusons sous ce déguisement, et que c'est Cléonte lui-même qui est le fils du Grand Turc ?

80 MADAME JOURDAIN, *bas à Covielle.* Ah ! ah !

COVIELLE, *bas à Mme Jourdain.* Et moi, Covielle, qui suis le truchement.

MADAME JOURDAIN, *bas à Covielle.* Ah ! comme cela je me rends.

85 COVIELLE, *bas à Mme Jourdain.* Ne faites pas semblant de rien[1].

MADAME JOURDAIN, *haut.* Oui, voilà qui est fait, je consens au mariage.

MONSIEUR JOURDAIN. Ah ! voilà tout le monde
90 raisonnable. *(À Mme Jourdain.)* Vous ne vouliez pas l'écouter. Je savais bien qu'il vous expliquerait ce que c'est que le fils du Grand Turc.

MADAME JOURDAIN. Il me l'a expliqué comme il faut, et j'en suis satisfaite. Envoyons quérir un notaire.

95 DORANTE. C'est fort bien dit. Et afin, madame Jourdain, que vous puissiez avoir l'esprit tout à fait content, et que vous perdiez aujourd'hui toute la jalousie que vous pourriez avoir conçue de monsieur votre mari, c'est que nous nous servirons du même notaire pour nous marier,
100 madame et moi.

MADAME JOURDAIN. Je consens aussi à cela.

MONSIEUR JOURDAIN, *bas à Dorante.* C'est pour lui faire accroire[2] ?

DORANTE, *bas à M. Jourdain.* Il faut bien l'amuser avec
105 cette feinte. bluff

MONSIEUR JOURDAIN, *bas.* Bon, bon ! *(Haut.)* Qu'on aille vite quérir le notaire.

DORANTE. Tandis qu'il viendra et qu'il dressera les contrats, voyons notre ballet, et donnons-en le
110 divertissement à Son Altesse Turque.

---

1. *Ne faites pas semblant de rien :* ne remarquez rien (la tournure du XVIIe siècle est incorrecte aujourd'hui).
2. *Faire accroire :* tromper.

MONSIEUR JOURDAIN. C'est fort bien avisé. Allons prendre nos places.

MADAME JOURDAIN. Et Nicole ?

MONSIEUR JOURDAIN. Je la donne au truchement ; et
115 ma femme, à qui la voudra.

COVIELLE. Monsieur, je vous remercie. *(À part.)* Si l'on en peut voir un plus fou, je l'irai dire à Rome.
(La comédie finit par un ballet qui avait été préparé.)

Ballet des nations

PREMIÈRE ENTRÉE

Un homme vient donner les livres du ballet, qui d'abord est fatigué par une multitude de gens de provinces différentes qui crient en musique pour en avoir, et par trois importuns qu'il trouve toujours sur ses pas.

DIALOGUE DES GENS

qui, en musique, demandent des livres.

TOUS

À moi, monsieur, à moi, de grâce, à moi, monsieur :
Un livre, s'il vous plaît, à votre serviteur.

HOMME DU BEL AIR[1]

Monsieur, distinguez-nous parmi les gens qui crient.
Quelques livres ici ; les dames vous en prient.

AUTRE HOMME DU BEL AIR

5 Holà, monsieur ! Monsieur, ayez la charité
D'en jeter de notre côté.

FEMME DU BEL AIR

Mon Dieu, qu'aux personnes bien faites
On sait peu rendre honneur céans !

AUTRE FEMME DU BEL AIR

Ils n'ont des livres et des bancs
10 Que pour mesdames les grisettes[2].

---

1. *Du bel air* : aux manières élégantes et raffinées.
2. *Grisettes* : femmes coquettes de condition médiocre.

GASCON

Aho ! l'homme aux livres, qu'on m'en vaille[1].
J'ay déjà le poumon usé ;
Bous voyez qué chacun mé raille,
Et je suis escandalisé
15 De boir ès mains de la canaille
Ce qui m'est par bous refusé.

AUTRE GASCON

Eh ! cadédis[2], monseu, boyez qui l'on put être ;
Un libret, je bous prie, au varon d'Asbarat.
Jé pensé, mordi ! que le fat
20 N'a pas l'honnur dé mé connaître.

LE SUISSE

Mon'siur le donneur de papieir,
Que veul dire sti façon de fifre[3] ?
Moi l'écorchair tout mon gosieir
À crieir,
25 Sans que je pouvre afoir ein lifre ;
Pardi, mon foi, mon'siur, je pense fous l'être ifre.

Le donneur de livres, fatigué par les importuns qu'il trouve toujours sur ses pas, se retire en colère.

VIEUX BOURGEOIS BABILLARD

De tout ceci, franc et net,
Je suis mal satisfait ;
Et cela sans doute est laid
30 Que notre fille,
Si bien faite et si gentille,

---

1. *Vaille* : baille. Le *v* remplace le *b* dans le parler gascon parodié par Molière.
2. *Cadédis* : juron gascon, « par la tête de Dieu ».
3. *Fifre* : vivre. Selon la prononciation suisse alémanique, le *v* est transformé en *f*.

De tant d'amoureux l'objet,
N'ait pas à son souhait
Un livre de ballet,
35 Pour lire le sujet
Du divertissement qu'on fait,
Et que toute notre famille
Si proprement s'habille,
Pour être placée au sommet
40 De la salle, où l'on met
Les gens de Lantriguet[1] :
De tout ceci, franc et net,
Je suis mal satisfait,
Et cela sans doute est laid.

VIEILLE BOURGEOISE BABILLARDE

45 Il est vrai que c'est une honte,
Le sang au visage me monte,
Et ce jeteur de vers qui manque au capital[2],
L'entend fort mal ;
C'est un brutal,
50 Un vrai cheval,
Franc animal,
De faire si peu de compte
D'une fille qui fait l'ornement principal
Du quartier du Palais-Royal,
55 Et que ces jours passés un comte
Fut prendre la première au bal.
Il l'entend mal,
C'est un brutal,
Un vrai cheval,
60 Franc animal.

1. *Lantriguet :* nom breton de Tréguier.
2. *Au capital :* à l'essentiel.

HOMMES ET FEMMES DU BEL AIR

Ah ! quel bruit !
Quel fracas !
Quel chaos !
Quel mélange !
65 Quelle confusion !
Quelle cohue étrange !
Quel désordre !
Quel embarras !
On y sèche.
70 L'on n'y tient pas.

GASCON

Bentre ! je suis à vout.

AUTRE GASCON

J'enragé, Diou mé damne.

SUISSE

Ah ! que l'y faire saif dans sti sal de cians.

GASCON

Jé murs.

AUTRE GASCON

75 Jé perds la tramontane[1].

SUISSE

Mon foi, moi, je foudrais être hors de dedans.

VIEUX BOURGEOIS BABILLARD

Allons, ma mie,
Suivez mes pas,
Je vous en prie.
80 Et ne me quittez pas,

1. *La tramontane* : l'étoile Polaire.

On fait de nous trop peu de cas,
Et je suis las
De ce tracas :
Tout ce fatras,
85 Cet embarras,
Me pèse par trop sur les bras.
S'il me prend jamais envie
De retourner de ma vie
À ballet ni comédie,
90 Je veux bien qu'on m'estropie.
Allons, ma mie,
Suivez mes pas,
Je vous en prie,
Et ne me quittez pas,
95 On fait de nous trop peu de cas.

VIEILLE BOURGEOISE BABILLARDE

Allons, mon mignon, mon fils,
Regagnons notre logis,
Et sortons de ce taudis
Où l'on ne peut être assis ;
100 Ils seront bien ébaubis
Quand ils nous verront partis.
Trop de confusion règne dans cette salle,
Et j'aimerais mieux être au milieu de la halle ;
Si jamais je reviens à semblable régale,
105 Je veux bien recevoir des soufflets plus de six.
Allons, mon mignon, mon fils,
Regagnons notre logis,
Et sortons de ce taudis
Où l'on ne peut être assis.

TOUS

110 À moi, monsieur, à moi, de grâce, à moi, monsieur :
Un livre, s'il vous plaît, à votre serviteur.

DEUXIÈME ENTRÉE

Les trois importuns dansent.

TROISIÈME ENTRÉE

Trois Espagnols chantent.

PREMIER ESPAGNOL, *chantant.*

TEXTE

Sé que me muero de amor,
Y solicito el dolor.
A un muriendo de querer
De tan buen ayre adolezco,
5 Que es mas de lo que padezco
Lo que quiero padecer,
Y no pudiento exceder
A mi deseo el rigor.
Sé que me muero de amor,
10 Y solicito el dolor.
Lisonxeame la suerte
Con piedad tan advertida,
Que me assegura la vida
En el riesgo de la muerte.
15 Vivir de su golpe fuerte
Es de mi salud primor.
Sé que me muero de amor,
Y solicito el dolor.

Danse de six Espagnols, après laquelle deux autres Espagnols dansent encore ensemble.

PREMIER ESPAGNOL, *chantant.*

Ay ! que locura, con tanto rigor
20 Quexarce de Amor,

DEUXIÈME ENTRÉE

Les trois importuns dansent.

TROISIÈME ENTRÉE

Trois Espagnols chantent.

PREMIER ESPAGNOL, *chantant.*

TRADUCTION

Je sais que je meurs d'amour,
Et je recherche la douleur.
Quoique mourant de désir,
Je dépéris de si bon air
5 Que ce que je désire souffrir,
Est plus que ce que je souffre ;
Et la rigueur de mon mal
Ne peut excéder mon désir.
Je sais que je meurs d'amour,
10 Et je recherche la douleur.
Le sort me flatte
Avec une pitié si attentive
Qu'il m'assure la vie
Dans le danger et dans la mort.
15 Vivre d'un coup si fort
Est le prodige de mon salut.
Je sais que je meurs d'amour,
Et je recherche la douleur.

Danse de six Espagnols, après laquelle deux autres Espagnols dansent encore ensemble.

PREMIER ESPAGNOL, *chantant.*

Ah ! Quelle folie de se plaindre
20 Si fort de l'Amour ;

Del nino bonito
Que todo es dulçura
Ay ! que locura !
Ay ! que locura !

DEUXIÈME ESPAGNOL, *chantant.*

25 El dolor solicita,
El que al dolor se da,
Y nadie de amor muere
Sino quien no save amar.

PREMIER ET DEUXIÈME ESPAGNOLS, *chantant.*

Duelce muerte es el amor
30 Con correspondencia igual,
Y si esta gozamos hoy
Porque la quieres turbar ?

PREMIER ESPAGNOL, *chantant.*

Alegrese enamorado
Y tome mi parecer,
35 Que en esto de querer
Todo es hallar el vado.

TOUS TROIS ENSEMBLE

Vaya, vaya de fiestas !
Vaya de vayle !
Alegria, alegria, alegria !
40 Que esto de dolor es fantasia !

QUATRIÈME ENTRÉE

ITALIENS

UNE MUSICIENNE ITALIENNE *fait le premier récit dont voici les paroles.*

Di rigori armata il seno
Contro Amor mi ribellai,

De l'enfant gentil
Qui est la douceur même !
    Ah ! Quelle folie !
    Ah ! Quelle folie !

DEUXIÈME ESPAGNOL, *chantant.*

25 La douleur tourmente
Celui qui s'abandonne à la douleur ;
Et personne ne meurt d'amour,
Si ce n'est celui qui ne sait pas aimer.

PREMIER ET DEUXIÈME ESPAGNOLS, *chantant.*

L'amour est une douce mort,
30 Quand on est payé de retour ;
Et nous en jouissons aujourd'hui,
Pourquoi la veux-tu troubler ?

PREMIER ESPAGNOL, *chantant.*

Que l'amant se réjouisse
Et adopte mon avis ;
35 Car, lorsqu'on désire,
Tout est de trouver le moyen.

TOUS TROIS ENSEMBLE

Allons ! Allons ! Des fêtes !
Allons ! De la danse !
Gai, gai, gai !
40 La douleur n'est qu'imagination !

QUATRIÈME ENTRÉE

ITALIENS

UNE MUSICIENNE ITALIENNE *fait le premier récit dont voici les paroles.*

Ayant armé mon sein de rigueurs,
En un clin d'œil je me révoltai contre l'Amour ;

Ma fui vinta in un baleno
In mirar due vaghi rai.
5 Ahi ! che resiste puoco
Cor di gelo a stral di fuoco !
Ma si caro è 'l mio tormento,
Dolce è si la piaga mia,
Ch' il penare è 'l mio contento,
10 E 'l sanarmi è tirannia.
Ahi ! che più giova e piace
Quanto amor è più vivace !

Après l'air que la musicienne a chanté, deux Scaramouches, deux Trivelins et un Arlequin représentent une nuit à la manière des comédiens italiens, en cadence.
Un musicien italien se joint à la musicienne italienne et chante avec elle les paroles qui suivent :

TEXTE

LE MUSICIEN ITALIEN

Bel tempo che vola
Rapisce il contento ;
15 D'Amor ne la scola
Si coglie il momento.

LA MUSICIENNE

Insin che florida
Ride l' età
Che pur tropp' horrida
20 Da noi sen và.

TOUS DEUX

Sù cantiamo,
Sù godiamo,
Ne' bei di di gioventù :
Perduto ben non si racquista più.

Mais je fus vaincue
En regardant deux beaux yeux.
5 Ah ! Qu'un cœur de glace
Résiste peu à une flèche de feu.
Cependant mon tourment m'est si cher,
Et ma plaie m'est si douce,
10 Que ma peine fait mon bonheur,
Et que me guérir serait une tyrannie.
Ah ! Plus l'amour est vif,
Plus il y a de joie et de plaisir.

Après l'air que la musicienne a chanté, deux Scaramouches, deux Trivelins et un Arlequin représentent une nuit à la manière des comédiens italiens, en cadence.
Un musicien italien se joint à la musicienne italienne et chante avec elle les paroles qui suivent :

TRADUCTION

LE MUSICIEN ITALIEN

Le beau temps qui s'envole
Emporte le plaisir ;
15 À l'école d'Amour
On apprend à profiter du moment.

LA MUSICIENNE

Tant que rit
L'âge fleuri,
Qui trop promptement, hélas !
20 S'éloigne de nous.

TOUS DEUX

Chantons,
Jouissons,
Dans les beaux jours de la jeunesse :
Un bien perdu ne se recouvre plus.

LE MUSICIEN

25 Pupilla ch'e vaga
Mill' alm incatena,
Fà dolce la piaga,
Felice la pena.

LA MUSICIENNE

Ma poiche frigida
30 Langue l'età
Più l'alma rigida
Fiamme non hà.

TOUS DEUX

Sù cantiamo,
Sù godiamo,
35 Ne' bei di di gioventù :
Perduto ben non si racquista più.

Bello Sguardo et Coviello, danseurs bouffons
de la commedia dell'arte. Gravure de Jacques Callot (1592-1635).
Cabinet des Estampes, B.N.

LE MUSICIEN

25 Un bel œil
Enchaîne mille cœurs ;
Ses blessures sont douces ;
Le mal qu'il cause est un bonheur.

LA MUSICIENNE

Mais quand languit
30 L'âge glacé,
L'âme engourdie
N'a plus de feux.

TOUS DEUX

Chantons,
Jouissons,
35 Dans les beaux jours de la jeunesse :
Un bien perdu ne se recouvre plus.

Après le dialogue italien, les Scaramouches et Trivelins dansent une réjouissance.

CINQUIÈME ENTRÉE

FRANÇAIS

Deux musiciens poitevins dansent et chantent les paroles qui suivent.

PREMIER MENUET

PREMIER MUSICIEN

Ah ! qu'il fait beau dans ces bocages !
Ah ! que le ciel donne un beau jour !

AUTRE MUSICIEN

Le rossignol, sous ces tendres feuillages,
Chante aux échos son doux retour.

5 Ce beau séjour,
Ces doux ramages,
Ce beau séjour,
Nous invite à l'amour.

DEUXIÈME MENUET

TOUS DEUX ENSEMBLE

Vois ma Climène,
10 Vois, sous ce chêne
S'entrebaiser ces oiseaux amoureux.
Ils n'ont rien dans leurs vœux
Qui les gêne,
De leurs doux feux
15 Leur âme est pleine.
Qu'ils sont heureux !
Nous pouvons tous deux,
Si tu le veux,
Être comme eux.

Six autres Français viennent après, vêtus galamment à la poitevine, trois en hommes et trois en femmes, accompagnés de huit flûtes et de hautbois, et dansent les menuets.

SIXIÈME ENTRÉE

Tout cela finit par le mélange des trois nations et les applaudissements en danse et en musique de toute l'assistance, qui chante les deux vers qui suivent :

Quels spectacles charmants, quels plaisirs goûtons-nous !
Les dieux mêmes, les dieux n'en ont point de plus doux.

J. B. P. Molière

Acte V Scènes 1 à 7

COMPRÉHENSION ET ANALYSE DES CARACTÈRES

1. N'est-il pas surprenant que Dorimène revienne dans une maison où elle a subi un affront ? Pensez-vous qu'elle ait découvert les supercheries de Dorante (sc. 2) ?

2. Dorante fait-il à nouveau figure de personnage sympathique ? Justifiez votre réponse.

3. Quels sont les sentiments de Dorimène vis-à-vis de M. Jourdain (sc. 3) ?

4. L'attitude de Dorimène et de Dorante : montrez comment ils savent flatter chez M. Jourdain la folie des grandeurs. Étudiez de près leurs répliques : le langage de la flatterie.

LE COMIQUE

5. Montrez comment Molière s'amuse avec son personnage et fait de M. Jourdain un véritable bouffon (sc. 1).

6. Comment le ridicule de M. Jourdain est-il accentué (sc. 3) ? Quel nouveau trait de son caractère s'y révèle ?

7. Quel est le ressort du comique dans la scène 5 ? Comment vous représentez-vous le personnage de Cléonte en Grand Turc ? Analysez la réaction de M. Jourdain, encore tout excité de sa récente accession au titre de Mamamouchi.

8. Quelle est la nature du comique dans la scène 6 ? Pourquoi M. Jourdain n'est-il pas surpris du brusque changement d'attitude de Lucile ?

9. Quels sont les effets les plus drôles de la scène 7 ? Analysez notamment :
- le comique de situation ;
- le comique de caractère (l'obstination de Mme Jourdain) ;
- le comique des répliques (reportez-vous aux lignes 55 à 68).

ÉVOLUTION DE L'ACTION

10. Faites un bilan des effets comiques de l'acte V et montrez qu'on arrive, à la fin de la pièce, à un véritable spectacle bouffon, à une farce.
À quoi ressent-on que Molière a pris plaisir à écrire et à mettre en scène cette mascarade ?

11. L'opposition obstinée de Mme Jourdain, à la scène 7, met-elle en péril le dénouement ?

12. Faites le bilan : quel est l'intérêt de ce dernier acte ?
a. Que se passe-t-il d'essentiel pour l'action ?
b. Quelle est la part donnée au pur divertissement, au plaisir des yeux ?
c. Établissez une comparaison avec les autres actes.

Sur l'ensemble de l'acte V et le Ballet des nations

13. Le dénouement : montrez que c'est la « folie » de M. Jourdain qui a permis un dénouement heureux pour les jeunes amoureux.

14. La moralité : M. Jourdain est-il guéri de ses prétentions à la noblesse ? Le personnage méritait-il d'être ainsi le « dindon de la farce » ? Molière veut-il nous donner une leçon de morale ? Quel est le but recherché par la représentation de la comédie-ballet ? Justifiez toutes ces réponses.

15. Quels sont les États présents dans ce dernier ballet ? Expliquez ce choix fait par Molière. Comment chaque nation se distingue-t-elle, à travers son langage, ses particularismes ? Qui représente la France ? Quelle est l'atmosphère générale qui se dégage ? Répondez en vous référant au texte.

Documentation thématique

Au XVIIe siècle, la Turquie fait rêver la France, p. 182

La folie des grandeurs, p. 186

Au XVIIe siècle, la Turquie fait rêver la France...

La France, un royaume en voie de développement

Au XVIIe siècle, le royaume de France est ce qu'on appellerait aujourd'hui un pays en voie de développement. Les paysans, en particulier, sont réduits à la misère. Les conditions de vie quotidienne dans les châteaux, même à Versailles, sont loin de ce que peuvent laisser imaginer les fastes de la cour. L'hygiène, contrairement à ce qui existe dans les splendides palais de l'Orient, fait le plus souvent défaut : pas de salles de bains, pas de fosses d'aisances, aucune des commodités courantes aujourd'hui. Bref, la France est sale, même quand elle est noble. L'usage des parfums qui proviennent surtout de l'Orient, permet de masquer les odeurs, parfois nauséabondes.

L'habillement, excepté celui de la noblesse et des quelques privilégiés pour lesquels travaillent les dentellières, demeure assez simple et rudimentaire ; l'étoffe en est généralement grossière. C'est pourquoi M. Jourdain fait admirer, dès son entrée sur scène, le velours de son habit, et qu'il attache tant d'importance à l'arrivée de son tailleur.

Le Grand Bazar exporte mots et modes de vie

Constantinople (Istanbul, aujourd'hui), centre artisanal et commercial très important, est devenue la capitale de l'Empire ottoman en 1453. Son Grand Bazar fascine toujours l'Europe, le commerce avec la Compagnie du Levant n'ayant cessé de s'intensifier depuis le XVIe siècle. Arrivent des pays lointains, par terre et par mer, soieries, tapisseries, épices, sucre de canne, coton, agrumes. C'est ainsi qu'on invente les « orangeries » où l'on commence à cultiver des plants et qu'on se met à boire du café, dont la mode se répand malgré la prédiction erronée de Mme de Sévigné, qui déclarait « le café passera comme Racine [auteur de tragédies à succès] »...

Depuis déjà longtemps, un certain nombre de mots arabes sont devenus français : « abricot », « alcool », « algèbre », « chiffre », « chimie », « échec », « magasin », « sirop », « sucre » ou encore « divan », « sofa », etc. Par exemple, le mot « ottoman », employé à partir de 1657 (*le Bourgeois gentilhomme* est écrit en 1670), désigne au masculin une étoffe de soie à grosses côtes ; au féminin, l'« ottomane » est une sorte de canapé de forme ovale. Tout cet apport de mots, dont on a oublié quelquefois l'origine, traduit l'importante influence exercée par le Moyen-Orient et la civilisation arabe sur la vie quotidienne des Français.

Le soleil se lève en Orient

Dans la deuxième moitié du XVIIe siècle, les Turcs étendent leurs territoires aux portes de l'Europe occidentale. Au-delà de la Turquie actuelle, l'Empire ottoman occupe toute l'Europe du Sud-Est (Grèce, Roumanie, Bulgarie, Yougoslavie, Albanie), le pourtour de la mer Noire jusqu'à l'Iraq, le Yémen, l'Égypte, Tunis et Alger.

Le Sultan Mehmed IV (ou Mahomet IV), qui régnera de 1648 à 1687, continue de vouloir étendre son empire et mène campagne contre Venise, la Hongrie, la Pologne, l'Autriche (envahie en 1663). Ces conquêtes contribuent au rayonnement d'une civilisation qui suscite l'admiration de Louis XIV arrivant au pouvoir. Le commerce de produits de luxe entre l'Orient et l'Europe transite obligatoirement par l'Empire ottoman. Des écoles de langues orientales commencent à s'ouvrir en Europe.

De 1667 à 1669, la France a aidé la Crète à repousser l'avancée turque, ce qui explique ses relations diplomatiques très tendues avec la Turquie musulmane. Pour des raisons commerciales, les grands vizirs (ministres) du riche palais de Mehmed IV sont aussi soucieux que les conseillers de Louis XIV de rétablir de bons rapports entre les deux puissances.

Imaginons Molière en grand reporter

Attendu depuis plusieurs mois, Soliman Aga, représentant de Mehmed IV, a fait une entrée impressionnante en terre de France. Tous ceux qui ont eu la chance de se trouver sur son passage sont éblouis par le luxe déployé, témoin de la magnificence du souverain turc.

Molière s'est sans doute précipité aux portes de Paris, là où Louis XIV vint faire un accueil non moins époustouflant à cet ambassadeur extraordinaire. Alfred

Simon, dans sa biographie de Molière, imagine ainsi ce qu'a pu remarquer ce spectateur particulier :

Mêlé à la foule, Molière regarde défiler le régiment de la cavalerie royale, suivi d'une escouade d'agas portant de longues barbes et de somptueuses pelisses, armés de lances et de fusils. Derrière eux, l'imam efendi, chapelain, et le Kapigidlar Kerkudassi, premier secrétaire d'ambassade, précédant le fils du sultan monté sur une jument à la bride garnie d'or et de pierreries, et porteur de la lettre de son père. Enfin Soliman Aga lui-même, monté sur un magnifique étalon de Bagdad, couvert de harnais de divan, coiffé d'un vaste turban de cérémonie et vêtu d'un surtout doublé de martre zibeline.

Molière, une vie, La Manufacture, 1988.

La folie des grandeurs

Monsieur Jourdain, comme George Dandin, croit naïvement pouvoir accéder à la noblesse en s'appropriant par l'argent les caractéristiques de cette classe sociale : costume, langage, culture artistique, passe-temps, etc. Mais l'habit ne fait pas le moine, et le Bourgeois sombre dans le ridicule car il ne peut rien faire d'autre qu'imiter des modèles.

« Nouveaux riches », « snobs », « parvenus », quel que soit le nom qu'on leur donne, les Monsieur Jourdain sont nombreux dans la littérature et dans la vie, encore aujourd'hui. Tous les moyens leur semblent bons pour manifester leur réussite apparente et faire étalage de leur richesse. S'ils ne reculent jamais devant l'outrance, ils restent cependant prisonniers de la mode, et il leur arrive d'entrer en compétition avec leurs semblables, comme ces deux notaires décrits par Villiers de L'Isle-Adam. Faut-il tirer une morale de ces comportements, à la manière de La Fontaine, ou vaut-il mieux en rire, comme le propose Molière ?

Paysagistes grotesques

Dans le roman inachevé de Gustave Flaubert (1821-1880), *Bouvard et Pécuchet,* deux minables sont devenus riches grâce à un héritage. Ils se sont installés à la campagne et, pour essayer de s'introduire dans la bonne société normande, invitent tous les notables du bourg à un fastueux déjeuner dans leur propriété.

Curieusement, les doubles-rideaux de la salle à manger sont fermés... Quelle surprise attend les convives au moment du dessert ? Le repas a duré longtemps – c'est l'habitude à la campagne –, le choix des vins était mauvais, les conversations faussement intellectuelles. Comme dans *Mon oncle*, le film de Jacques Tati (1907-1982) qui met en scène un couple de nouveaux riches ridicules, essentiellement par une description animée de leur maison et de leur jardinet, tout le « mauvais goût » possible est au rendez-vous.

Presque aussitôt on déboucha le champagne, dont les détonations amenèrent un redoublement de joie. Pécuchet fit un signe, les rideaux s'ouvrirent et le jardin apparut.

C'était, dans le crépuscule, quelque chose d'effrayant. Le rocher, comme une montagne, occupait le gazon, le tombeau faisait un cube au milieu des épinards, le pont vénitien un accent circonflexe par-dessus les haricots, et la cabane, au-delà, une grande tache noire, car ils avaient incendié son toit de paille pour la rendre plus poétique. Les ifs, en forme de cerfs ou de fauteuils, se suivaient jusqu'à l'arbre foudroyé, qui s'étendait transversalement de la charmille à la tonnelle, où des pommes d'amour pendaient comme des stalactites. Un tournesol, çà et là, étalait son disque jaune. La pagode chinoise, peinte en rouge, semblait un phare sur le vigneau [petite butte de terre ombragée par des vignes grimpantes]. Les becs des paons, frappés par le soleil, se renvoyaient des feux, et derrière la claire-voie, débarrassée de ses planches, la campagne toute plate terminait l'horizon.

Devant l'étonnement de leurs convives, Bouvard et Pécuchet ressentirent une véritable jouissance.

Mme Bordin surtout admira les paons ; mais le tombeau ne fut pas compris, ni la cabane incendiée, ni le mur en ruines. Puis chacun, à tour de rôle, passa sur le pont. Pour emplir le bassin, Bouvard et Pécuchet avaient charrié de l'eau pendant toute la matinée. Elle avait fui entre les pierres du fond, mal jointes, et de la vase les recouvrait.

Gustave Flaubert, *Bouvard et Pécuchet,* chap. II, 1881.

Éblouir à tout prix

Gatsby ne veut pas laisser la fête et les bons côtés de la vie aux seuls riches, qu'il trouve tristes, avares et bêtes. Il dépense sans compter pour entretenir une compagnie autour de lui qui concurrence celle des gens fortunés. La quantité, l'extravagance, la démesure, le raffinement ne sont pas appréciés à leur juste valeur par les invités. « Le Magnifique », tel que le nomme Scott Fitzgerald (1896-1940), victime de son snobisme, mourra ruiné.

Tous les vendredis, cinq grandes caisses d'oranges et de citrons arrivaient de chez un fruitier de New York – tous les lundis, les mêmes oranges et les mêmes citrons sortaient par la porte de service en une pyramide d'écorces vidées de pulpe. Dans la cuisine il y avait un appareil capable d'extraire le jus de deux cents oranges en une demi-heure, mais il fallait qu'un valet appuyât deux cents fois de suite sur un petit bouton avec le pouce.

Une fois au moins par quinzaine, un détachement de

décorateurs arrivait avec plusieurs centaines de mètres de toile et une quantité de lumières de couleur suffisante pour transformer le parc de Gatsby en un gigantesque arbre de Noël. Sur des tables, garnies de hors-d'œuvre luisants, s'entassaient des jambons épicés et cuits au four parmi des salades multicolores comme des manteaux d'arlequin, des pâtés de porc et des dindes qu'un sortilège avait teintes de brun doré. Dans la galerie principale, on installait un bar muni de son appuie-pied en cuivre et garni de gin, de liqueurs et de cordiaux depuis si longtemps oubliés, que la plupart des invités étaient trop jeunes pour les distinguer les uns des autres.

Vers sept heures arrive l'orchestre, non pas un petit orchestre de cinq exécutants, mais une pleine fosse de hautbois, trombones et saxophones, de violes, de clarinettes et de piccolos, de tambours altos et bassos. Les derniers nageurs sont rentrés de la plage et s'habillent dans les chambres ; les autos de New York sont garées, cinq de front, dans l'allée, et déjà les galeries, les salons et les vérandas s'égaient de couleurs, de cheveux coupés suivant d'étranges modes et de châles qui éclipsent tous les rêves de Castille. Le bar fonctionne à plein rendement et les cocktails flottent sur des plateaux dans le parc qu'ils imprègnent de leurs parfums...

Francis Scott Fitzgerald, *Gatsby le Magnifique*, traduit de l'américain par Victor Liona, Éditions du Sagittaire, 1946.

Imitation et routine

César Birotteau est l'un de ces nombreux bourgeois qui se sont enrichis au cours du XIXe siècle. Satisfait de lui-même et de sa réussite, un peu borné, on pourrait le comparer à M. Jourdain tant il est obnubilé par l'image de lui-même qu'il va donner au monde. Mais ses habitudes vestimentaires laissent transparaître ses origines paysannes...

Le costume qu'il avait adopté concordait à ses mœurs et sa physionomie. Aucune puissance ne l'eût fait renoncer aux cravates de mousseline blanche dont les coins brodés par sa femme ou sa fille lui pendaient sous le cou. Son gilet de piqué blanc boutonné carrément descendait très bas sur son abdomen assez proéminent, car il avait un léger embonpoint. Il portait un pantalon bleu, des bas de soie noire et des souliers à rubans dont les nœuds se défaisaient souvent. Sa redingote vert olive toujours trop large, et son chapeau à grands bords lui donnaient l'air d'un quaker. Quand il s'habillait pour les soirées du dimanche, il mettait une culotte de soie, des souliers à boucles d'or, et son infaillible gilet carré dont les deux bouts s'entr'ouvraient alors afin de montrer le haut de son jabot plissé. Son habit de drap marron était à grands pans et à longues basques. Il conserva, jusqu'en 1819, deux chaînes de montre qui pendaient parallèlement, mais il ne mettait la seconde que quand il s'habillait.

Tel était César Birotteau, digne homme à qui les mystères qui président à la naissance des hommes avaient refusé la faculté de juger l'ensemble de la politique et de la vie, de s'élever au-dessus du niveau social sous lequel vit la classe moyenne, qui suivait en toute chose les errements de la routine : toutes ses opinions lui avaient été communiquées, et il les appliquait sans examen.

Honoré de Balzac, *César Birotteau,* chap. II, 1837.

À ridicule, ridicule et demi

Me Lecastelier et son confrère Me Percenoix, tous deux notaires d'une petite ville, n'ont de cesse de titiller la curiosité maligne de ses habitants. Pour se venger de son rival qui a offert « le plus beau dîner du monde » en l'honneur de son commerce florissant, Me Lecastelier lance le défi d'en donner un encore plus beau l'année suivante, un véritable coup de Jarnac !

Pendant toute l'année, Me Lecastelier se déroba aux questions. Huit jours avant l'anniversaire, ses invitations furent lancées. Deux heures après la tournée matinale du facteur, ce fut un branle-bas extraordinaire dans la ville. Le sous-préfet crut immédiatement de son devoir de renouveler la tournée des amers [sorte d'apéritifs], par esprit d'équité.

Quand vint le soir du grand jour, les cœurs battaient. Ainsi que l'année précédente, les convives se rencontrèrent aux Promenades, comme par hasard. L'avant-garde fut signalée à l'horizon par les cris de la haie enthousiaste [...].

Les convives admirèrent tout cela de nouveau. Puis l'on entra chez M. et Mme Lecastelier, et l'on pénétra dans la salle à manger. Une fois assis, après les cérémonies, les convives, en parcourant le menu d'un œil sévère, s'aperçurent, avec une stupeur menaçante, que c'était le MÊME dîner !

Étaient-ils mystifiés ? À cette idée, le sous-préfet fronça le sourcil et fit, en lui-même, ses réserves.

Chacun baissa les yeux, ne voulant point (par ce sentiment de courtoisie, de tact parfait, qui distingue les personnes de province) laisser éprouver à l'amphitryon [l'hôte chez qui l'on dîne] et à sa femme l'impression du profond mépris que l'on ressentait pour eux.

Percenoix ne cherchait même pas à dissimuler la joie d'un triomphe qu'il crut désormais assuré. Et l'on déplia les serviettes.

Ô surprise ! Chacun trouvait sur son assiette – quoi ?... – ce qu'on appelle un jeton de présence – une pièce de vingt francs.

Instantanément, comme si une bonne fée eût donné un coup de baguette, il y eut une sorte de « passez, muscade ! » général, et tous les « jaunets » disparurent dans l'enchantement d'une rapidité inconnue [...].

Vers les neuf heures de la soirée, chaque invité, en remuant discrètement le sucre dans sa tasse de café, se tourna vers son voisin. Tous les sourcils étaient haussés et les yeux avaient cette expression atone propre aux personnes qui, après un banquet, vont émettre une opinion.

– C'est le même dîner ?

– Oui, le même.

Puis, après un soupir, un silence et une grimace méditative :

– Le même, absolument.

– Cependant, n'y avait-il pas *quelque* chose ?

– Oui, oui, il y avait quelque chose !

– Enfin, – là, – il est plus beau !

– Oui, c'est curieux. C'est le même... et, cependant, il est plus beau !

– Ah ! voilà qui est particulier !

Mais en quoi était-*il* plus beau ? Chacun se creusait inutilement la cervelle.

Villiers de L'Isle-Adam, *Contes cruels*,
« Le plus beau dîner du monde », 1883.

Le ridicule peut-il tuer ?

On pourrait aisément faire un parallèle entre *le Bourgeois gentilhomme* et cette fable de La Fontaine, contemporain de Molière : la Grenouille serait M. Jourdain et le Bœuf représenterait les nobles proches de la cour. Quant à la sœur, elle incarnerait à elle seule tous ceux qui poussent le Bourgeois à sa perte (maître de danse, maître de musique, tailleur, etc.). Comme Molière a pour principal souci de faire rire, tout finit en danses et en chansons dans sa pièce. Ici, la fin est plutôt tragique : pas de pitié pour les imitateurs !

La Grenouille qui veut se faire aussi grosse que le Bœuf

Une Grenouille vit un Bœuf
Qui lui sembla de belle taille.
Elle, qui n'était pas grosse en tout comme un œuf,
Envieuse, s'étend, et s'enfle, et se travaille
Pour égaler l'animal en grosseur,
Disant : « Regardez bien, ma sœur ;
Est-ce assez ? dites-moi ; n'y suis-je point encore ?
– Nenni. – M'y voici donc ? – Point du tout.
[– M'y voilà ?
– Vous n'en approchez point. » La chétive pécore
S'enfla si bien qu'elle creva.
Le monde est plein de gens qui ne sont pas plus
[sages :
Tout bourgeois veut bâtir comme les grands seigneurs,
Tout petit prince a des ambassadeurs,
Tout marquis veut avoir des pages.

Jean de La Fontaine, *Fables,* livre I, 1668.

Le menuet du *Bourgeois gentilhomme,* acte II, scène 1
(danse mise à la mode par Jean-Baptiste Lully dès 1673).

Annexes

Les sources de l'œuvre, p. 196

Une satire sociale, p. 199

La dérision noyée
sous le burlesque, p. 203

Le style et la langue
de Molière, p. 206

Interprètes
et mise en scène, p. 211

La pièce et les critiques, p. 215

Avant ou après la lecture, p. 221

Bibliographie, discographie,
filmographie, p. 225

Les sources de l'œuvre

Quelques lectures de Molière

Le Bourgeois gentilhomme tire sa matière de l'observation directe des mœurs nouvelles de la bourgeoisie de l'époque. Mais la pièce emprunte aussi à la tradition classique, à laquelle s'est formé Molière, et à ses lectures de contemporains. Ainsi la scène où M. Jourdain se fait décerner le titre de Mamamouchi rappelle un passage du roman de Charles Sorel : *la Vraie Histoire comique de Francion* (1633), où le pédant Hortensius, aveuglé par sa vanité, se laisse convaincre que les Polonais le veulent pour roi et se voit offrir, au cours d'une cérémonie burlesque, une couronne de fantaisie. La « turquerie » peut faire penser au long roman fantaisiste de Scudéry (1601-1667), *Ibrahim ou l'Illustre Bassa,* qui se passait dans la Turquie de 1641, ou à la comédie de Rotrou (1609-1650), *la Sœur,* dans laquelle l'un des personnages parle turc.

ANSELME. Il n'entend pas la langue, et ne peut te répondre.
ERGASTE. Eh bien, lui parlant turc, je sais bien le confondre.
Cabrisciam ogni boraf, embusain Constantinopola ?
LÉLIE, *à part.* Ô rare, ô brave Ergaste !
HORACE. *Ben belmen, ne sensulez.*
ANSELME. Eh bien, que veut-il dire ?
ERGASTE. Qu'en vous imposant son père a voulu rire / Qu'il est d'humeur railleuse, et n'a jamais été / En Turquie.
ANSELME. En quel lieu l'a-t-il donc racheté ?
ERGASTE, *à Horace. Carigar camboco, ma io ossansando ?*
HORACE. *Bensem, belmen.*

Rotrou, *la Sœur,* III, 4.

En revanche, le dialogue entre M. Jourdain et le maître de philosophie semble avoir été inspiré par *les Nuées* d'Aristophane, dont le personnage principal, un vieillard, s'émerveille de la science de son maître Socrate avant de faire maladroitement étalage de sa science auprès de son fils, comme le fera M. Jourdain auprès de sa femme et de Nicole.

Une pièce « sur mesures » pour la troupe

Molière a aussi puisé dans son propre répertoire. Les scènes de brouille puis de réconciliation entre les deux couples Cléonte-Lucile et Covielle-Nicole (III, 9 et 10) rappellent singulièrement celles du *Dépit amoureux*, représenté en 1656 à Béziers. Leur jeu était donc bien rodé, depuis longtemps, et Molière pouvait ainsi être assuré de faire rire le parterre composé d'un public assez proche des spectateurs friands de théâtre ambulant, en province.

Plus que dans toutes ses autres pièces, il semble que Molière ait tenu compte, pour « construire » les personnages du *Bourgeois gentilhomme*, de la personnalité et de l'allure des comédiens qui composaient sa troupe. On sait aujourd'hui que le qualificatif de « grand cheval de carrosse » s'appliquait à la silhouette toute particulière du comédien De Brie qui jouait le rôle du maître d'armes. De même, Lucile a la taille d'Armande Béjart, Nicole a le rire et les manières de la comédienne Beauval, dont le public connaissait bien le caractère acariâtre et la bêtise tapageuse. Le rôle que Molière se donne, assurément le plus complet, est celui de M. Jourdain, lequel chante comme Sganarelle, Argan (plus tard) et tant d'autres personnages joués par lui.

La mode des turqueries

Attendu par le public depuis juillet, l'émissaire musulman Soliman Aga était arrivé à Toulon le 1er novembre 1669. Malgré les conseils du chevalier d'Arvieux, spécialiste de la question turque, les ministres de Louis XIV avaient tenu à recevoir la délégation turque vêtus de costumes orientaux. D'après les *Mémoires* (1735) du chevalier, le roi parut « dans toute sa majesté, revêtu d'un brocard d'or, mais tellement couvert de diamants, qu'il semblait qu'il fût environné de lumière, en ayant aussi un chapeau tout brillant, avec un bouquet de plumes des plus magnifiques ».

Choqué par cette mascarade (il aurait dit que, dans son pays, les chevaux étaient mieux harnachés que le roi), Soliman Aga prit congé de ses hôtes le 30 mai 1670, outragé par l'accueil que lui avaient réservé les Français. Louis XIV souhaita, semble-t-il, prendre une revanche, et d'Arvieux fut de nouveau sollicité :

Sa Majesté m'ordonna de me joindre à Messieurs Molière et de Lulli pour composer une pièce de théâtre où l'on pût faire entrer quelque chose des habillements et des manières des Turcs. Je me rendis pour cet effet au village d'Auteuil où M. de Molière avait une maison fort jolie. Ce fut là que nous travaillâmes à cette pièce de théâtre que l'on voit dans les œuvres de Molière sous le titre de *Bourgeois gentilhomme*, qui se fit Turc pour épouser la fille du Grand Seigneur. Je fus chargé de tout ce qui regardait les habillements et les manières des Turcs. La pièce achevée, on la présenta au Roi qui l'agréa, et je demeurai huit jours chez Baraillon, maître tailleur, pour faire faire les habits et turbans à la turque. Tout fut transporté à Chambord et sa pièce représentée dans le mois de septembre [erreur de l'auteur : le *Bourgeois gentilhomme* fut joué pour la première fois le 14 octobre], avec un succès qui satisfit le Roi et toute la Cour.

Une satire sociale

Faut-il voir dans *le Bourgeois gentilhomme* une satire individuelle, reconnaître un personnage comme Colbert, soucieux de se trouver des aïeux gentilshommes ? La supposition semble devoir être écartée, car comment Molière aurait-il pu, à une époque où les statuts de comédien et d'auteur étaient si précaires, ridiculiser une personnalité aussi importante ?

La société du temps

Il s'agit plutôt d'applaudir une satire sociale plus générale des mœurs du temps. La bourgeoisie prenait une importance croissante dans la seconde moitié du XVIIe siècle. Gens de finance et de commerce amassant des fortunes considérables, les bourgeois nouvellement enrichis aspirent à sortir de leur condition d'origine. Ils se réfèrent à ceux qui leur semblent être de bons modèles, les nobles, et méprisent déjà les bourgeois qui ne suivent pas.

De nouveaux groupes sociaux se distinguent, que La Bruyère (1645-1696), dans ses *Caractères,* perçoit ainsi :

La ville est partagée en diverses sociétés, qui sont comme autant de petites républiques, qui ont leurs lois, leurs usages, leur jargon, et leurs mots pour rire. Tant que cet assemblage est dans sa force, et que l'entêtement subsiste, l'on ne trouve rien de bien dit ou de bien fait que ce qui part des siens, et l'on est incapable de goûter ce qui vient d'ailleurs : cela va jusques au mépris pour les gens qui ne sont pas initiés dans leurs mystères. L'homme du monde d'un meilleur esprit, que le hasard a porté au milieu d'eux, leur est étranger : il se trouve là comme dans un pays lointain, dont il ne connaît ni les routes, ni la langue, ni les mœurs, ni la coutume ; il voit un peuple qui cause, bourdonne, parle à l'oreille, éclate de rire, et qui retombe ensuite dans un morne silence ; il y perd son maintien, ne trouve pas où placer un seul mot, et n'a pas même de quoi écouter. Il ne manque jamais là un mauvais plaisant qui domine, et qui est comme le héros de la société : celui-ci s'est chargé de la joie des autres, et fait toujours rire avant que d'avoir parlé. Si quelquefois une femme survient qui n'est point de leurs plaisirs, la bande joyeuse ne peut comprendre qu'elle ne sache point rire des choses qu'elle n'entend point, et paraisse insensible à des fadaises qu'ils n'entendent eux-mêmes que parce qu'ils les ont faites : ils ne lui pardonnent ni son ton de voix, ni son silence, ni sa taille, ni son visage, ni son habillement, ni son entrée, ni la manière dont elle est sortie.

De la ville, 4.

La Bruyère raille cruellement les Crispins et Périandre qui mènent grande vie pour faire oublier leurs ancêtres artisans, ces gens « qui n'ont pas le moyen d'être nobles et se veulent gentilshommes, c'est-à-dire nobles de race ».

Les Crispins se cotisent et rassemblent dans leur famille jusqu'à six chevaux pour allonger un équipage qui, avec un essaim de gens de livrée où ils ont fourni chacun leur part, les fait triompher au Cours ou à Vincennes, et aller de pair avec les nouvelles mariées, avec Jason, qui se ruine, et avec Thrason qui veut se marier, et qui a consigné. (Note de La Bruyère : Déposé son argent au Trésor public pour une grande charge.)

De la ville, 9.

On ne peut mieux user de sa fortune que fait Périandre : elle lui donne du rang, du crédit, de l'autorité ; déjà on ne le prie plus d'accorder son amitié, on implore sa protection. Il a commencé par dire de soi-même : « Un homme de ma sorte », il passe à dire : « Un homme de ma qualité » ; il se donne pour tel et il n'y a personne de ceux à qui il prête de l'argent ou qu'il reçoit à sa table, qui est délicate, qui veuille s'y opposer. Sa demeure est superbe : un dorique règne dans tous ses dehors ; ce n'est pas une porte, c'est un portique ; est-ce la maison d'un particulier ? est-ce un temple ? Le peuple s'y trompe. Il est le seigneur dominant de tout le quartier ; c'est lui que l'on envie et dont on voudrait voir la chute ; c'est lui dont la femme, par son collier de perles, s'est fait des ennemies de toutes les dames du voisinage. Tout se soutient dans cet homme, rien encore ne se dément dans cette grandeur qu'il a acquise, dont il ne doit rien, qu'il a payée...

Des biens de fortune, 21.

Un titre de noblesse à tout prix

Molière utilise la démesure pour rendre moins reconnaissables ses personnages. Mais sous le cynisme et le mercantilisme des maîtres de danse et de musique, sous le charabia du maître de philosophie et au-delà de l'humeur fantaisiste de Dorimène ou de Dorante, se démonte le beau mécanisme de la société louisquatorzienne.

La pièce prend toute sa signification lorsque M. Jourdain déclare naïvement mais sincèrement qu'il voudrait « qu'il lui en eût coûté deux doigts de la main et être né comte ou marquis ». Bien des roturiers n'hésitent pas à l'époque (et cela continuera au XIXe siècle) à se fabriquer des arbres généalogiques et, puisque l'habit est le premier reflet de la distinction sociale, les bourgeois recourent, comme M. Jourdain, aux services des meilleurs tailleurs.

Quant aux nobles, pour une certaine part, dans l'inaction où ils sont réduits, en raison aussi du train de vie qu'ils doivent mener à la Cour, ils se sont appauvris, d'autant plus que la passion du jeu règne à l'époque. Ils vivent bien souvent d'expédients, dont le plus fréquent est l'emprunt, et tout naturellement s'adressent aux bourgeois argentés. Nombreux sont les faux nobles pourchassés par la loi. Dorante, sous le couvert de l'indépendance, compromet M. Jourdain, qui se laisse volontiers « plumer », tout flatté qu'il est de frayer avec la noblesse. La discussion entre Cléonte et M. Jourdain (III, 12), où le mot « imposture » est prononcé, est la preuve des préoccupations que Molière n'a cessé d'entretenir sur le sujet depuis *Dom Juan* et *le Tartuffe*. Cléonte, en refusant de passer pour ce qu'il n'est pas (un gentilhomme), veut, par sa morale, se distinguer de tous ceux qui s'arrogent des titres auxquels ils n'ont pas droit, un procédé qui, hélas, tend à se répandre. Molière y fait allusion dans *le Bourgeois,* mais c'est Lesage (1668-1747), avec *Turcaret ou le Financier,* qui abordera franchement le problème. L'évolution de la société, avec ceux qu'on appellera plus tard les « nouveaux riches », n'enlèvera pas à M. Jourdain une actualité toujours vivace.

La dérision noyée sous le burlesque

Une pièce simple, en apparence

Molière, pris de court puisqu'il doit réaliser la commande du roi en quinze jours, n'a pas adopté le schéma classique de la comédie-ballet avec prologue consacré à l'éloge du souverain, intermèdes et final : musique, chansons et danses sont complètement intégrées aux dialogues, au point de faire de la comédie une sarabande carnavalesque menée crescendo. Découpée en actes et en scènes sans liens logiques apparents, la pièce semble fondée sur un thème très simple, exploité maintes fois par Molière : un père veut imposer à sa fille un mariage qui sert ses propres intérêts et sa manie.

Les deux premiers actes

Les incidents et épisodes comiques qui se produisent au cours des actes I et II pourraient apparaître comme n'étant que futilités, variations musicales et entrechats inutiles à l'intrigue. Ils se succèdent, à un rythme accéléré, en une vaste exposition.

Ils contribuent à caractériser et à situer M. Jourdain non seulement par le spectacle qu'il donne de lui-même mais aussi par les portraits qu'en tracent ses « maîtres ». Mais ils font aussi découvrir, par le biais de la révérence et du billet doux, l'amorce d'une intrigue insoupçonnable au départ : l'amour de M. Jourdain pour Dorimène.

L'acte III

L'acte III révèle trois autres intrigues amoureuses : Lucile-Cléonte, Nicole-Covielle, Dorante-Dorimène. Tout est en place : l'amour sans espoir et de surcroît dupé (puisque Dorante utilise M. Jourdain pour être agréé par la marquise), l'amour contrarié, le dépit amoureux. À cette comédie d'amour vient se superposer une comédie qu'on appellerait volontiers « bourgeoise » ou « domestique », et dont l'élément moteur est Mme Jourdain : nouvelles intrigues en perspective, qui permettent une relance du burlesque et de l'action, M. Jourdain étant pris sous de multiples regards qui le piègent : celui de ses exploiteurs, celui des valets, celui de son épouse... sans compter le regard qu'il porte sur lui-même.

Dans ce troisième acte, qui ne compte pas moins de vingt scènes, défilent tous les personnages principaux. Louis-Simon Auger, éditeur des *Œuvres* de Molière de 1819 à 1825 et polémiste dans le *Racine et Shakespeare* de Stendhal, y voyait un immense ballet avec des marches et contremarches, décelant à travers les mouvements et les expressions de la scène 10 une sorte de quatuor joué par Nicole, Covielle, Lucile et Cléonte. Se répondant deux à deux, Nicole répète ce que dit Lucile et Covielle ce que dit Cléonte selon les règles des morceaux lyriques de haute tenue. Mais les décalages de langue (précieuse pour un couple, paysanne et relâchée pour l'autre) créent un effet burlesque.

Les deux derniers actes

Jacques Copeau, fondateur du théâtre du Vieux-Colombier, ne voit l'action devenir vraiment intéressante qu'avec l'arrivée de Covielle à la scène 5 de l'acte IV. Personnage de la commedia dell'arte, valet rusé et joyeux, Covielle sait se tirer avec adresse et souplesse de la situation la plus périlleuse. Son entrée commence par un exercice de voltige lorsqu'il annonce : « Monsieur, je ne sais pas si j'ai l'honneur d'être connu de vous »... et, un peu plus loin : « Vous savez que le fils du Grand Turc est ici ?... »

La fantaisie se débride au cours des deux derniers actes, formant une troisième partie, pour atteindre le délire au cours de la cérémonie turque où l'on passe du travestissement par caricature du réel aux vrais déguisements. Pourtant, au milieu de ce grand charivari où tout paraît invraisemblable, M. Jourdain prend une allure crédible. Ses gens, sur lesquels il a autorité, sont devenus ses sauveurs malgré lui en l'entraînant dans cette mascarade où, comme dans les fêtes de carnaval, chacun devient pour un instant ce qu'il souhaite être. Ces grandes parties correspondent d'ailleurs au découpage de la pièce en trois actes par Molière en 1670 et qui regroupait cette suite de sketches ainsi : « le Bourgeois et la mode », « le Bourgeois et la science », « le Bourgeois et l'amour ».

Les acteurs spectateurs

Les acteurs deviennent spectateurs dans le Ballet des nations final qui, à lui seul, dure aussi longtemps que la comédie elle-même sans se rattacher à l'action. Molière, aidé par Lulli, excelle dans ce genre de divertissement qui fait aussi les délices de la Cour car ils sont faciles. Il ne se prive pas pour autant d'en critiquer les ressorts et de montrer l'envers du décor, appuyant les forts accents gascons et suisses dans ce tableau qui réunit les nations française, espagnole et italienne. Avant de s'engager sur le thème de l'amour, le ballet commence par la distribution des livrets, faisant éclater une dispute comme un lancer de grains sème la pagaille dans un poulailler. À l'époque, le papier, comme support de l'écriture, même s'il était déjà imprimé, avait une valeur intrinsèque. On se l'arrachait, et s'il était orné d'une illustration, il servait alors à décorer les intérieurs. En tout cas, le désordre ainsi créé annule tout le sérieux que ce ballet, composé à la gloire de Louis XIV et de ses conquêtes, était tenu de préserver.

Aujourd'hui, le nombre de danseurs et de chanteurs nécessaires à ce final dissuade les metteurs en scène de l'inscrire au programme, et il n'est pratiquement plus joué.

Le style et la langue de Molière

Un comique multiple

Le Bourgeois gentilhomme n'est peut-être pas la meilleure pièce de Molière : son action commence au troisième acte et elle manque d'unité. Mais cette œuvre, parmi les dernières, héritière d'une production antérieure abondante et riche, est parfaitement réussie. Car toutes les situations, tous les traits d'observation, les effets comiques, les moyens d'expression déjà mûris dans les œuvres précédentes se retrouvent dans *le Bourgeois gentilhomme* et y fusionnent pour faire rire davantage.

Le comique rassemble ici tous les procédés et les moyens déjà mis en œuvre dans les farces aussi bien que dans les comédies d'intrigue ou de caractère. Il n'y a pas de séparation entre les différentes formes de comique qui s'imbriquent les unes dans les autres : comique de gestes (gifles, coups de bâton, disputes, batailles, poursuites, déguisements), de mots (calembours, mots déformés, répétition de termes, langages professionnels), de situation (malentendus et quiproquos, poursuites d'un objet), comique, enfin, de mœurs et de caractère (exagération et stylisation dans la peinture des manières d'être des personnes ou d'une époque).

Une langue adaptée à chaque personnage

On a pu faire grief à Molière de ses facilités, voire de ses négligences de style. La Bruyère écrit ainsi : « Il n'a manqué à Molière que d'éviter le jargon et le barbarisme », puis

Vauvenargues (1715-1747) : « On trouve dans Molière tant d'expressions bizarres et impropres qu'il y a peu de poètes, si j'ose dire, moins corrects et moins purs que lui. » On pourrait encore souligner les lourdeurs, les ambiguïtés syntaxiques (voir ci-dessous), les métaphores incohérentes, les incorrections d'une langue parlée. Inversement, il serait assez facile d'insister sur les savants procédés de style : inversions, ruptures dans la construction des phrases (anacoluthes), suppressions de mots de liaison dans une phrase (asyndètes). On peut tout aussi bien mettre en évidence des traits de préciosité appartenant au langage à la mode dans les salons de l'époque.

Ce qui reste important, c'est que cette langue parlée, faite d'abord pour le théâtre, pour être entendue des spectateurs et comprise par eux (Molière faisait souvent imprimer ses pièces à regret, aussi parce que les publications frauduleuses étaient fréquentes), s'avère en fait l'outil le plus souple pour révéler la psychologie profonde d'un personnage, sa condition sociale, son âme. En effet, à travers son comique multiple, ses mots, Molière fait parler chacun de ses personnages avec son propre langage. Des deux maîtres de musique et de danse, proches par leurs activités, le premier est précieux, le second, plus intéressé, semble plus vrai, car il est pris dans le tourbillon de l'action, dans un *rythme* : celui du théâtre, derrière lequel va jusqu'à s'effacer, pour un temps, le propre style de Molière, car c'est d'abord le spectacle et le bonheur du public qui comptent.

La syntaxe et le vocabulaire classiques

Les constructions

• Dans une phrase, l'ordre des mots est parfois différent. Le pronom complément d'un verbe à l'infinitif dépendant d'un verbe au mode personnel se plaçait devant ce dernier : *Vous l'allez entendre* (I, 1).

• Il y a ellipse ou suppression de mots, par rapport à l'usage actuel. L'omission de l'article est fréquente : *Me donner leçon* (II, 1) pour « me donner la leçon », ou celle du pronom personnel : *Voilà pas* (III, 12) pour « voilà-t-il pas ».
La conjonction « que » avec le subjonctif d'ordre est volontiers omise : *Qui manquera de constance/Le puissent perdre les dieux* (I, 2) pour : « Celui qui manquera de constance/Que les dieux puissent le perdre ».
Économie, aussi, de certaines conjonctions comme dans *Ne vous point en aller qu'on ne m'ait apporté mon habit* (I, 2) pour « ne pas vous en aller avant qu'on ne m'ait apporté mon habit » ou dans l'expression *Je pense qu'il y a bien loin en ce pays-là* (IV, 4) pour « d'ici à ce pays-là ».
Utilisation de formules négatives incomplètes : *Ne bougez* (III, 1) pour « ne bougez pas » ou d'expressions impératives elliptiques : *mettez* (III, 4) pour « mettez votre chapeau ».
• Il existe une grande souplesse de syntaxe dans la concordance des temps : *Il n'y a point de dépenses que je ne fisse* (III, 6) pour « que je ne ferais », l'imparfait du subjonctif conservant au XVIIe siècle sa valeur latine de conditionnel ; ou *Plût à Dieu l'avoir tout à l'heure* (III, 3) pour « que je l'eusse ». Quant à l'emploi des temps, il est, lui aussi, plus libre, et Molière peut faire dire *Ne dois-je point pour toi fermer ma porte* (III, 2) là où, aujourd'hui, on emploierait le conditionnel : « Ne devrais-je pas ».
• Liberté aussi dans des constructions vieillies, qui se signalent par une économie de mots : *Il y a plaisir* pour : « Il y a du plaisir à » ou *Apportez-moi mes pantoufles, et me donnez mon bonnet de nuit* (II, 4) pour : « et donnez-moi ». Seule la syntaxe de l'époque pouvait encore autoriser une phrase comme celle-ci : *J'ai donné pour vous l'ordre qu'il faut au cuisinier, et à toutes les choses* (III, 6) où un seul verbe, pris dans deux sens différents, commande deux constructions différentes ; aujourd'hui on dirait : « J'ai ordonné... et j'ai pourvu... ». Autres exemples de constructions désuètes : *N'est-ce pas le vouloir que*

de ne vouloir pas éclaircir mes soupçons, phrase presque impossible à prononcer aujourd'hui, ou bien : *Depuis avoir connu feu monsieur votre père* (IV, 5) pour « après avoir connu... ».

Le vocabulaire classique

La langue du *Bourgeois gentilhomme* est en partie celle de la préciosité, notamment par l'emploi de mots à la mode dans les salons, comme « incongruité » (appliqué au repas alors qu'il ne s'utilisait que pour la grammaire), « furieusement » ou « effroyable », intensifs favoris des précieux : *Vous n'avez pas ici un repas fort savant, et vous y trouverez des incongruités de bonne chère et des barbarismes de bon goût* (IV, I) ; *Des souliers qui me blessent furieusement* (II, 5) ; *Une peine effroyable à la faire venir ici* (III, 20). Le recours à ce langage codé, déjà ridiculisé par Molière en 1659, constitue d'ailleurs l'une des sources du comique de la pièce.

Certains mots ont un sens un peu différent de leur sens actuel (les acceptions actuelles existaient parfois). En voici quelques exemples :

affaire : mot à la mode désignant ici la sérénade, un divertissement de musique et de danse, ou encore les difficultés que peut entraîner une maladresse.

amitié : amour ; objet de prédilection (ex. la danse est son amitié).

bagatelles : choses de peu d'importance.

baiser : donner un baiser ; surtout employé dans l'expression « baiser les mains », remercier, tirer sa révérence.

bassesse : basse condition et souvent obscure.

bourgeois : comme substantif, citoyen d'une ville, par opposition au vilain (paysan) et au courtisan ; comme adjectif, rustre, vulgaire.

cadeau : partie de campagne, bal ou repas, offert à une dame.

chanson : poème, poésie ; au pluriel, paroles sans importance.

chose : pour rien au monde dans l'expression « pour chose au monde » ; par-dessus tout dans « sur toute(s) chose(s) ».

commerce : fréquentation ; au pluriel, relations mondaines.
condition : rang social ; de naissance noble.
déguiser : défigurer.
équipage : habillement, accoutrement, ensemble des personnes et des objets nécessaires à un voyage.
entendre : comprendre, apprendre par ouï-dire.
exquis (sens latin) : recherché, raffiné, rare.
fantaisies : idées extravagantes, visions.
fariboles : propos frivoles, histoires à dormir debout.
galanterie : distinction, élégance, grâce ; **galant** : raffiné, courtois, aux procédés délicats.
gloire : honneur, réputation.
hanter : fréquenter.
honnête : honorable, bienséant, réservé, de bonne compagnie.
joli : aimable, gentil, brillant ; mot alors à la mode évoquant toutes sortes d'agréments légers.
loisir (attendre le loisir de) : le moment qui convient le mieux à quelqu'un.
lumière : connaissance, intelligence.
magnifique : généreux dans ses dépenses ; somptueux.
officieux : serviable, obligeant.
poudre : poussière.
propre : convenable, assorti (« un mari qui lui soit propre »).
quérir : aller ou envoyer chercher.
rien : quelque chose (sens latin).
sens : jugement, goût.
tantôt : aujourd'hui même, prochainement, presque.
tout à l'heure : tout de suite.
train : cortège, escorte.
trompé : abusé, pas informé de.
vilain : paysan et, par extension, avare ; grossier, rustre, vulgaire.
visions : idées folles et chimériques.

(Ces définitions sont tirées en partie du *Dictionnaire du français classique, XVII*[e] *siècle,* coll. Références, Larousse.)

Interprètes et mise en scène

Les interprètes de M. Jourdain

D'après Maurice Descotes (*les Grands Rôles du théâtre de Molière,* 1960), le comédien apparaît comme « un Jourdain bilieux et non sanguin [...], un rôle — encore — d'homme emporté, trop vif, sans cesse en mouvement, un rôle qui, en dépit des apparences, rejoint celui d'Arnolphe (de *l'École des femmes*) ».

Un siècle après la création, en 1769, le comédien Préville (1721-1799), jouant le plus souvent les valets, compose un personnage à la gaieté plus leste, plus incisive, avec une gaucherie de corps calculée. Puis l'exubérant Dugazon (1746-1809) en rajoutera dans le domaine de la bouffonnerie, de la mimique, des grimaces. On dit même qu'il chassait Mme Jourdain, dans la scène où elle vient troubler le repas, en lui jetant des petits pâtés ! En 1916, on assiste à une sorte de « réhabilitation » du personnage, sympathique par son bon cœur, avec Maurice de Féraudy (1859-1932). Léon Bernard (1877-1935), quant à lui, s'attache à la rondeur, à la jovialité du personnage, sans tomber dans le burlesque.

M. Descotes fait observer qu'aucun comédien n'a réussi à imposer son nom dans ce rôle. Lucien Guitry ou Louis Jouvet ne l'ont pas interprété, tandis que des acteurs « de style plus classique et de moyens moins puissants » ont pu y réussir. C'est qu'à travers ce *Bourgeois,* Molière fait une satire de la vanité qui n'est en somme qu'un péché bénin. Le vice et la passion attirent plus, en général, les grands comédiens car ils peuvent ainsi marquer du sceau de leur propre interprétation les personnages qu'ils incarnent. Pourtant, Raimu, alors débutant à la Comédie-Française, fera un marchand de drap vaniteux tout à fait apprécié et apportera un souffle nouveau, venu du cinéma. Lui succéderont Louis Seigner en 1951, Jacques Charon en 1972 et Jérôme Savary (1981).

Mise en scène

Cette œuvre, avec ce qu'elle donne à voir, accordant parfaitement la musique, la poésie et la danse est, par excellence, le prototype des comédies-ballets. Pour parodier ce qu'était le cérémonial de cour, elle use d'effets spectaculaires (costumes, couleurs, danses...), du procédé de théâtre dans le théâtre (IV, 5) et occasionne une grande dépense de comédiens et d'accessoires. Le public de la seconde moitié du XXe siècle, habitué aux superproductions cinématographiques, se montre friand de ce genre de pièce, synthèse de différents spectacles entremêlés.

Jérôme Savary, dans sa mise en scène créée pour le Magic Circus en 1981 puis reprise au Théâtre national de Chaillot en 1989, privilégie cet aspect foisonnant. Mais il lui donne une dimension peut-être plus réaliste en présentant sur scène, dès l'ouverture du spectacle, une troupe de bateleurs du Pont-Neuf que Covielle fera venir pour jouer les turqueries chez M. Jourdain. On peut imaginer que Molière, qui garda toujours le goût du théâtre de foire et de la commedia dell'arte, aurait apprécié ce procédé.

Les décors et accessoires

Grâce au *Mémoire* de Mahelot, contemporain de Molière, on peut savoir de quoi étaient composés les décors lors de la création de la pièce. La toile de fond de scène, peinte selon l'habitude, représentait plusieurs lieux et les acteurs se déplaçaient de façon à jouer, en fonction des actes et des scènes, là où se déroulait l'action. Les accessoires sont peu nombreux : des sièges, une table pour le festin (une autre pour le buffet), des ustensiles pour la cérémonie turque (principalement, le sabre) et une ferme, c'est-à-dire « une décoration montée sur un châssis, qui se détache en avant de la toile de fond, telle qu'une colonnade » (*Dictionnaire de l'Académie,* 1694) ; sans doute s'agissait-il, pour *le Bourgeois gentilhomme,* d'une porte praticable qui donnait sur un vestibule, d'où apparaissaient les cortèges pour le troisième intermède et la cérémonie turque.

Les costumes

L'inventaire fait à la mort de Molière permet de connaître ses costumes de scène. En M. Jourdain, on trouve d'abord l'habillement qui correspond à la scène 2 de l'acte I : robe de chambre rayée, doublée de taffetas aurore et vert, haut-de-chausses de panne (velours de soie) rouge, camisole de panne verte, bonnet de nuit et coiffe, chausses et, enfin, une écharpe de toile peinte à l'indienne. Un « déshabillé » comme on n'en fait plus !

L'habit dont M. Jourdain est revêtu à la fin de l'acte II est ainsi décrit : « des chausses de brocard garnies de rubans vert et aurore, et deux points de Sedan. Le pourpoint de taffetas garni de dentelle d'argent faux. Le ceinturon, des bas de soie verts et des gants, avec un chapeau garni de plumes aurore et vert » !

Quant au costume de la cérémonie turque, il est fort peu détaillé : « une veste à la turque et un turban, un sabre ».

Chorégraphie et composition musicale

C'est le chorégraphe Beauchamp (1636-1719), directeur de l'Académie royale de danse depuis 1661, qui organisa les divertissements du *Bourgeois,* mais il ne reste aucune trace de son travail. Jean-Baptiste Lulli (1632-1687), compositeur et claveciniste, est d'abord un excellent violoniste. Depuis 1661, année de la prise de pouvoir par Louis XIV, il est surintendant de la musique ; il est l'ami de Molière et collabore avec lui depuis 1664 (ils se brouilleront après *le Bourgeois gentilhomme*). Le célèbre menuet (voir p. 194), au tempo léger et rapide, continue à rythmer avec humour et entrain le pied pataud et hésitant de M. Jourdain, peu doué pour exécuter cette « danse dont les pas sont prompts et menus », selon Antoine Furetière (1619-1688). Lors de la création de la pièce, Lulli tenait le rôle du Muphti : c'est dire à quel point musique et comédie étaient, dès l'origine, inséparables dans ce spectacle où même les passages en *prose* — comme dirait M. Jourdain — sonnent le plus souvent comme des vers libres ou des chansons.

Molière, la pièce et les critiques

L'accueil des contemporains

Le 18 octobre 1670, le gazetier Robinet, journaliste de l'époque, donne un compte rendu dans une *Lettre en vers à Monsieur,* où, célébrant de manière convenue les deux « grands Baptistes » (Molière et Lulli), il laisse entendre que la pièce fut un succès.

Mardi, ballet et comédie,
Avec très bonne mélodie
Aux autres ébats succéda,
Où tout, dit-on, des mieux alla,
Par les soins des deux grands Baptistes,
Originaux et non copistes,
Comme on sait dans leur noble emploi,
Pour divertir notre grand Roi,
L'un par sa belle comédie,
Et l'autre par son harmonie.

Boileau, qui a défendu l'auteur du *Misanthrope* sans beaucoup apprécier *les Fourberies de Scapin,* reste silencieux sur *le Bourgeois gentilhomme,* dont il ne devait pas goûter les mascarades.

Une pièce immorale ?

J'entends dire qu'il [Molière] attaque les vices ; mais je voudrais bien que l'on comparât ceux qu'il attaque avec ceux qu'il favorise. Quel est le plus blâmable, d'un bourgeois sans esprit et vain qui fait sottement le gentilhomme, ou du

gentilhomme fripon qui le dupe ? Dans la pièce dont je parle, ce dernier n'est pas l'honnête homme, n'a-t-il pas, lui, l'intérêt et le public n'applaudit-il pas à tous les tours qu'il fait à l'autre ?

J.-J. Rousseau, *Lettre à M. d'Alembert sur les spectacles*, 1758.

Le Bourgeois gentilhomme est un des plus heureux sujets de comédie que le ridicule des hommes ait pu fournir. La vanité, attribut de l'espèce humaine, fait que les princes prennent le titre de rois, que les grands seigneurs veulent être des princes [...] Cette faiblesse est précisément la même que celle d'un bourgeois qui veut être homme de qualité ; mais la folie du bourgeois est la seule qui soit comique et qui puisse faire rire au théâtre : ce sont les extrêmes disproportions des manières et du langage d'un homme avec les airs et les discours qu'il veut affecter qui font un ridicule plaisant.

Voltaire, *Sommaires des pièces de Molière*, 1765.

M. Jourdain, un petit homme

Au fond les deux pièces [*les Précieuses ridicules* et *les Femmes savantes*] sur lesquelles on s'appuie si souvent pour établir le caractère bourgeois du bon sens de Molière sont très voisines du *Bourgeois gentilhomme* par l'inspiration. Le ridicule y frappe la prétention roturière, l'effort laborieux du petit monde pour égaler le grand. [...]

C'est le bon sens bourgeois si l'on veut, mais dans la mesure où il acquiesce à l'infériorité du bourgeois. Et il n'est guère sympathique dans Molière que sous cette forme, comme en témoigne avant tout la comédie du *Bourgeois gentilhomme*, qui n'a pas d'autre signification que celle-là, et où le ridicule du marchand qui prétend à la qualité n'est pas compensé, mais augmenté par la sagesse de son épouse, sorte de réplique féminine de Chrysale.

Il ne faut pas oublier que la bourgeoisie, au XVIIe siècle, jouissait encore d'un bien faible prestige dans la société. Les choses s'égalisent davantage au siècle suivant ; mais le

« bourgeois » sous Louis XIV, c'est surtout, pour l'opinion, le drapier, le petit robin, le boutiquier, et on n'en parle guère qu'avec dédain dans la bonne société.

Paul Bénichou, *Morales du Grand Siècle,* Gallimard, 1948.

Par une portée à dessein plus limitée de la satire, les ambitions de M. Jourdain vont beaucoup moins loin. Il n'aspire pas à jouer un grand rôle. Il se tient aux inoffensives satisfactions de vanité. Il garde même dans une extravagance croissante une candeur et un bon sens terre à terre qui font agréablement sourire. Il ferait vite le malheur des siens, mais il est aisé de le désarmer si l'on paraît donner dans ses aberrations : il suffit de l'associer à une comédie joyeuse. Il est au fond brave homme.

René Jasinski, *Molière,* Hatier, 1969.

Le théâtre de Molière forme un tout, tout à la fois jeu avec les masques et combat contre les masques. [...] Il révèle la métamorphose du visage humain en masque monstrueux sous la poussée du vice et de la sottise, d'Harpagon à Jourdain. [...] Du *Bourgeois gentilhomme* aux *Fourberies de Scapin,* le théâtre envahit la vie. Versailles est le lieu des mascarades de la fête et des intrigues de la cour. Comédien du roi, Molière rêve de brouiller à jamais les frontières entre la vie et le jeu et de créer un théâtre total, à la mesure de l'irréalité de l'existence. Mais, dans le décor le plus baroque, dans la mascarade la plus folle et jusqu'au cœur du grand cérémonial qui emprisonne à jamais Jourdain et Argan dans leur délire et leur déguisement, Molière n'oublie pas de glisser le petit homme qui rappelle l'homme à sa vérité d'homme.

Alfred Simon, *Molière, une vie,* La Manufacture, 1988.

Dans la mise en scène récente de Jérôme Savary au Théâtre national de Chaillot (Paris), M. Jourdain apparaît comme un brave homme et s'il reste tout de même le dindon de la farce, ce n'est pas seulement lui qui fait rire les spectateurs.

Jourdain, c'est un petit bourgeois, comme 80 % des Français, c'est le cousin de *Mon oncle* de Tati et du *César* de Pagnol, c'est un petit bourgeois comme ceux qui ont fait la Révolution mais qui n'ont jamais eu droit aux honneurs ni au pouvoir parce que, dès que la révolution est finie, pour les choses sérieuses, on prend les grands bourgeois ou les érudits, ou les commis de l'État, comme on dit, une nouvelle forme d'aristocratie en somme. Alors, curieusement, je sens que Molière a de la tendresse pour Jourdain, et que c'est plutôt aux autres qu'il en veut, aux musiciens – à travers son texte se dégage une incroyable haine contre Lulli, son camarade de commande royale –, aux danseurs, aux philosophes, tous ces sots qui débitent leurs idées reçues avec suffisance et prennent l'argent de Jourdain tout en le méprisant parce qu'il ne fait pas partie de leur monde, qu'il n'entend rien à leurs codes et dit des choses simples, dans un langage simple, alors que, eux, profèrent des âneries avec le langage tarabiscoté de « l'élite ».

Jourdain n'est, dans le fond, rien d'autre qu'un artisan du drap – comme le père de Molière : n'est-ce pas là, peut-être, l'indication que Molière a voulu brosser avec tendresse un portrait de son père ? – qui s'est enrichi et qui, arrivé au plus haut pour un drapier, est pris par le démon de midi...

Mais pour atteindre son but, et c'est en cela qu'il m'est sympathique, il prend la voie la plus difficile, celle d'apprendre les arts, les lettres et même la philosophie ! Tout en se ruinant en somptueux cadeaux, il espère secrètement que c'est par son esprit qu'il séduira Dorimène.

En un mot, ne peut être tout à fait ridicule un homme qui veut apprendre !!

Propos recueillis auprès de Jérôme Savary, 1989.

Monsieur Jourdain n'est qu'un parvenu, somme toute assez pitoyable. C'est dans ce sens que Savary le joue (et fort bien). Le bonhomme émeut. Certes, il s'aplatit devant les quartiers de noblesse (aussi frelatés soient-ils) mais son culte du savoir est déconcertant et attendrissant dans sa naïveté. C'est par là que le personnage freine toute propension du public à rire sauvagement.

C'est ailleurs qu'on trouve matière à s'esbaudir, quand le

metteur en scène Savary se déchaîne dans une débauche endiablée de trouvailles et de gags drolatiques.

Claudine Cerf, *Textes et documents pour la classe*, n° 533, 1989.

Le bonheur du spectacle

Le Bourgeois gentilhomme n'est ni une étude sociale, ni une étude de caractère. La pièce est bâtie à la diable. L'action ne commence qu'au troisième acte. Elle reste extrêmement sommaire, d'une invraisemblance parfaite et sereine. La matière manque tellement que Molière recommence pour la troisième fois la scène du double dépit amoureux, qu'il avait déjà reprise en 1667 pour meubler le vide du deuxième acte de *Tartuffe*. Les caractères ne sont même pas tous cohérents. Dorante commence par promettre beaucoup. Ce gentilhomme élégant est d'une indélicatesse froide. Il annonce le chevalier d'industrie. Il pouvait fournir la matière d'une étude très neuve. Mais Molière s'arrête en chemin et le Dorante du dernier acte est devenu un personnage sympathique.

Ces défauts seraient graves si *le Bourgeois gentilhomme* était une grande comédie. Ils n'ont aucune importance dans une comédie-ballet, et celle-ci, prise telle qu'elle est, avec les libertés du genre, dans son vrai ton et son exact éclairage, est une des œuvres les plus heureuses de Molière, et par sa verve endiablée, la valeur amusante de Mme Jourdain et surtout la vie prodigieuse de M. Jourdain.

Antoine Adam, *Histoire de la littérature française au XVIIe siècle*, tome III, Domat, 1952.

Au fond, la pièce est une farce, mais admirablement agencée. Molière a eu plaisir, on le sent, à offrir ce plaisir aux spectateurs ; il s'est diverti avant de les divertir. Il n'y a pas une ombre ; la moindre réplique est placée sous le signe de la joie. On ne s'étonnera donc pas que le *Bourgeois* ait encore le même succès, non seulement en France, mais en Amérique, en U.R.S.S., etc., qu'il ait fait allégrement son tour du monde.

G. Bordonove, *Molière, génial et familier*, Laffont, 1967.

Le sujet du *Bourgeois gentilhomme* est « heureux ». Ce mot parfait dit tout. Le « bonheur » d'un sujet, c'est d'abord une disposition de naissance qui appelle un certain ton aisé, et d'où découlent des courants naturels qui portent l'auteur, on dirait sans effort ni fatigue, au maximum de sa bonne humeur, de son invention et de sa liberté. Le *Bourgeois* a une transparence unique. On ne voit pas d'autre comédie où le ridicule soit si soutenu, car une action parfaitement appropriée le met constamment en jeu ; si pur, car il ne se laisse même pas effleurer par le sombre ou l'odieux ; si naïf, car il est presque tout en postures et se passe de commentaires ; si généreux, car il repose en somme sur une aspiration qui n'est point basse et se peut pousser à l'extrême sans risquer d'atteindre les régions dangereuses de la nature humaine ; si compréhensible, car rien n'est aussi commun que cette démesure et que ce déclassement par la vanité ; si franc, car il jaillit toujours des traits les plus terre à terre ; et en même temps si poétique, car il est conduit à l'absurde par des moyens étincelants.

Jacques Copeau, *Registres II, Molière,* Gallimard, 1976.

Par réaction peut-être vis-à-vis de ses camarades et rivaux italiens, dont le jeu volubile et ne se souciant pas d'intelligibilité dans une langue étrangère était très rapide, Molière a écrit de façon à être joué lentement. C'est ce que marque, jusque dans le détail, le procédé si constant de répétition des mêmes idées avec des mots différents, comme si la même leçon devait être dite deux fois ; l'aboutissement et le chef-d'œuvre en est la scène de *Dom Juan* avec les deux paysannes. Le comique y est déjà musique et incantation. Il est normal, dans une perspective de théâtre total, qu'il aboutisse aux cérémonies chimériques du *Bourgeois gentilhomme* et du *Malade imaginaire*.

Colette et Jacques Scherer, « Le métier d'auteur dramatique »,
in *le Théâtre en France,* tome I, Armand Colin, 1988.

Avant ou après la lecture

Rédactions

1. Résumer l'essentiel du *Bourgeois gentilhomme* en dix lignes.
2. Refaire le portrait du bourgeois à la manière de La Bruyère.
3. Un vrai Turc assiste à la première du *Bourgeois* à Chambord. Il écrit ensuite une lettre à un ami pour lui raconter ce qu'il a vu et entendu.

Discussions, exposés

1. Hormis le personnage principal, quels sont les autres centres d'intérêt de la pièce (personnages, thèmes, société du XVIIe siècle, etc.) ? Comment Molière les a-t-il développés ? N'a-t-il pas tout sacrifié à la mise en valeur du bourgeois et à la bouffonnerie ? Dans un tableau comportant trois colonnes, faire apparaître la part de fantaisie, de farce et de comédie sérieuse pour chacun de ces centres d'intérêt.
2. Montrer, par des exemples empruntés au *Bourgeois gentilhomme,* que le comportement et le langage des personnages reflètent à la fois leurs sentiments, leur caractère et leur condition sociale.
3. Est-il possible, sans nuire à la qualité du spectacle, de faire l'économie du Ballet des nations dans une représentation ? Pourquoi ? (Deux camps s'affrontent : les « pour » et les « contre ».)
4. D'après l'illustration proposée dans ce petit classique (ne pas oublier le dessin de couverture), observer les expressions des personnages : visage, port de tête, attitudes. Selon les cas, que dire de M. Jourdain : qu'il est hilare, solennel, épanoui,

pénétré de son importance, etc. ? Quelle image semble le mieux correspondre ? Argumenter.
5. La bourgeoisie dans la seconde moitié du XVIIe siècle. Faire apparaître son importance économique et sociale, ses relations avec la noblesse. Qui sont les bourgeois ? Comment M. et Mme Jourdain sont-ils représentatifs de cette classe sociale ?
6. Les arts au temps de Molière : la musique et les grands compositeurs, la danse et les ballets, la poésie, la peinture, l'architecture.

Citer, dans chaque domaine, des artistes et des œuvres célèbres (si possible trouver quelques reproductions de tableaux ou des enregistrements d'œuvres musicales).

Dégager les grandes tendances de l'époque. Quels sont les thèmes à la mode que l'on retrouve dans *le Bourgeois* ?

Projets de mise en scène

1. Choisir trois scènes intéressantes pour l'action, la peinture des caractères ou le comique.

Présenter par écrit un projet de mise en scène en précisant les jeux de scène, les gestes, les mimiques des personnages (comment peuvent-ils contribuer à l'expression des caractères ou rendre l'action plaisante ?), les décors, les costumes, le jeu des éclairages. Défendre ce projet face à un auditoire critique.
2. Imaginer qu'un acteur comique veuille faire une adaptation moderne du *Bourgeois*.
– Qui seraient M. Jourdain, Dorante, Dorimène, Cléonte pris dans la vie quotidienne aujourd'hui ?
– Quelles seraient les prétentions, les aspirations de M. Jourdain ?
– Choisir trois scènes et en proposer une version moderne.

Présenter un projet de mise en scène et écrire les dialogues. (Ne pas oublier que chacun des personnages doit être caractérisé par sa façon de s'exprimer.)

3. Quelle image de M. Jourdain un metteur en scène pourrait-il donner au public ? Celle d'un honnête bourgeois à la tête d'un important commerce, dont la réussite lui aurait quelque peu tourné la tête, mais restant foncièrement sympathique ? Celle d'un ridicule vaniteux, obstiné et égoïste ?

Prendre plusieurs passages précis de la pièce et proposer un projet de mise en scène afin de mettre en valeur cette image du personnage. Préciser les jeux de scène, les mouvements, les gestes, les costumes, le ton des répliques. Défendre ce projet comme si vous vouliez le vendre à un producteur.

4. Un cinéaste veut porter à l'écran la scène du dépit amoureux. Écrire le scénario de la scène 10 de l'acte III (plans alternés sur les deux couples, décors différents, jeux de scène, costumes, éclairages, etc.).

Ouvertures

1. Organiser un débat autour des « nouveaux riches » (voir la documentation thématique). Ressemblent-ils, par certains traits, à M. Jourdain ? Quel est le rôle de l'imitation dans notre société ? Qu'imite-t-on d'abord ? Pourquoi ? Les gens de condition modeste sont-ils davantage soumis à l'imitation que les gens fortunés ?

Un groupe fera ressortir les aspects positifs et bénéfiques de l'imitation, un autre groupe les aspects négatifs avec leurs conséquences, arguments à l'appui.

2. Au XVIIe siècle, la mode était aux turqueries. Au XXe siècle, existe-t-il d'autres phénomènes semblables d'engouement pour un folklore et des modes de vie venus de l'étranger ?

Réunir une documentation (témoignages, journaux, photos, etc.) et commenter.

3. Réaliser le portrait que M. Jourdain aurait aimé se faire faire (en collaboration avec le professeur de dessin). Soigner le costume (lequel aurait-il choisi ?), la pose, le décor, etc.

4. Faire un bilan des deux années 1669 et 1670 avec le professeur d'histoire afin d'expliquer le caractère historique du *Bourgeois gentilhomme :* situation politique et économique de la France, la société, les arts, les sciences.

Bibliographie, discographie, filmographie

Édition

L'édition la plus complète est celle établie par Georges Couton dans « la Pléiade » (2 vol., Gallimard, 1983). On peut se reporter aussi à l'édition Garnier-Flammarion en deux volumes.

Molière

G. Bordonove, *Molière, génial et familier,* Laffont, 1967.
René Bray, *Molière homme de théâtre,* Mercure de France, 1954.
Gabriel Conesa, *le Dialogue moliéresque, étude stylistique et dramaturgique,* P.U.F., 1983.
René Jasinski, *Molière,* Hatier, 1969.
Georges Montgrédien, *la Vie privée de Molière,* Hachette, 1950.
Alfred Simon, *Molière, une vie,* La Manufacture, 1988.
Jacques Truchet, dir., *Thématique de Molière. Six études suivies d'un inventaire des thèmes de son théâtre,* C.D.U.-Sedes, 1985.

Documentation et techniques théâtrales

Marie-Françoise Christout, *le Ballet de cour de Louis XIV,* Paris, Picard, 1967.
Jacques Copeau, *Comédies-ballets,* tome 1, *le Sicilien ; le Bourgeois gentilhomme,* Lyon, I.A.C., 1944.
Georges Forestier, *le Théâtre dans le théâtre sur la scène française du XVIIe siècle,* Genève, Droz, 1981.

Maurice Pellisson, *les Comédies-ballets de Molière,* Hachette, 1914 ; rééd. dans « Les Introuvables », 1976.

Discographie, filmographie

• Enregistrement intégral du *Bourgeois gentilhomme, l'Encyclopédie sonore,* Hachette, 1955.
• *Le Bourgeois gentilhomme,* film de Jean Meyer (1958) avec Louis Seigner, Jean Meyer, Jacques Charon et Robert Manuel.
• *Le Bourgeois gentilhomme,* film de Roger Coggio (1982) avec Michel Galabru, Rosy Varte, Roger Coggio, Jean-Pierre Darras et Ludmila Mikael.

Petit dictionnaire pour lire *le Bourgeois gentilhomme*

acte *(n. m.)* : partie d'une pièce de théâtre dont les différentes scènes possèdent un lien entre elles.

action *(n. f.)* : ensemble des événements qui constituent une pièce de théâtre, et leur progression.

affiche *(n. f.)* : mettre une pièce à l'affiche signifie annoncer en posant des affiches qu'on va jouer dans tel ou tel théâtre cette pièce.

bazar *(n. m.)* : marché couvert, en Orient, où l'on vend toutes espèces d'objets.

bergerie *(n. f.)* : genre poétique qui raconte les amours de bergers et de bergères, à la mode au XVIIe siècle.

comédie *(n. f.)* : pièce de théâtre destinée à divertir le public par la peinture des mœurs ou des situations.

comédie-ballet *(n. f.)* : pièce où les divertissements musicaux et les ballets s'incorporent à une comédie. La mise en scène demande une grande intervention et un réglage parfois difficile.

comédie de mœurs et de caractère : pièce insistant sur la manière de vivre propre à une époque et sur l'excès de caractère des personnages.

comique *(n. m.)* : ce qui fait rire. On distingue :
— le comique de situation, dû aux circonstances parfois cocasses qui résultent de l'intrigue,
— le comique de caractère, créé par les réactions des personnages,
— le comique de gestes, produit par les attitudes, les grimaces,
— le comique de mots, engendré par l'association inattendue de mots.

coup de théâtre : dans une pièce, changement soudain et imprévu de situation.

dénouement *(n. m.)* : manière dont l'action se termine.

dialogue *(n. m.)* : échange de répliques entre deux ou plusieurs personnages.

dramatique *(adj.)* : 1. qui appartient au théâtre ; 2. qui allie le tragique et le comique pour représenter au plus près la réalité sur scène.

farce *(n. f.)* : petite pièce comique populaire, très simple, où les jeux de scène dominent (attitudes, gestes, expression du visage, mouvements, etc.).

genre *(n. m.)* : regroupement de textes ayant des caractères communs définis par des modes et des lois propres à une époque et répondant alors aux goûts du public. La comédie, la tragédie, la farce sont des genres dramatiques.

intermède *(n. m.)* : moment dans la pièce où l'action est suspendue par un divertissement musical ou des danses.

mamamouchi *(n. m.)* : nom inventé par Molière pour désigner un grand dignitaire turc.

mise en scène : manière dont sont réglés par le metteur en scène tous les éléments (même les détails) qui concourent à la représentation.

monologue *(n. m.)* : discours que l'on tient à soi-même.

pastorale *(n. f.)* : pièce dont les personnages sont des bergers et des bergères.

pension *(n. f.)* : somme d'argent qu'un grand seigneur ou mécène versait régulièrement à une troupe placée sous sa protection.

rebondissement *(n. m.)* : moment où l'action est relancée par un coup de théâtre, un événement nouveau ou imprévu.

règle *(n. f.)* : principe suivant lequel une pièce doit être construite. Au XVIIe siècle, il fallait, dans certains genres dramatiques (la tragédie, par exemple), que la pièce ne comporte qu'une seule action, déroulée en vingt-quatre heures et en un lieu unique. Cette convention s'appelait la « règle des trois unités ».

répertoire *(n. m.)* : liste des pièces jouées dans un théâtre ou appartenant à un auteur.

roturier *(n. m.)* : celui qui n'a aucun titre de noblesse.

satire *(n. f.)* : texte critiquant les vices, les ridicules.

sérail *(n. m.)* : dans l'ancien Empire ottoman, partie du palais où habitaient les femmes.

vizir *(n. m.)* : ministre d'un prince musulman.

Dans la nouvelle collection *Classiques Larousse*

H. C. Andersen : *la Petite Sirène, et autres contes.*

H. de Balzac : *les Chouans.*

P. de Beaumarchais : *le Barbier de Séville* (à paraître) ; *le Mariage de Figaro* (à paraître).

F. R. de Chateaubriand : *les Mémoires d'outre-tombe* (livres I à III) ; *René.*

P. Corneille : *le Cid ; Cinna ; Horace ; l'Illusion comique* (à paraître) ; *Polyeucte.*

A. Daudet : *Lettres de mon moulin.*

G. Flaubert : *Hérodias ; Un cœur simple.*

J. et W. Grimm : *Hansel et Gretel, et autres contes.*

V. Hugo : *Hernani.*

E. Labiche : *la Cagnotte.*

J. de La Bruyère : *les Caractères.*

J. de La Fontaine : *Fables* (livres I à VI).

P. de Marivaux : *l'Ile des esclaves ; la Double Inconstance ; les Fausses Confidences ; le Jeu de l'amour et du hasard.*

G. de Maupassant : *la Peur, et autres contes fantastiques ; Un réveillon, contes et nouvelles de Normandie.*

P. Mérimée : *Carmen ; Colomba ; la Vénus d'Ille.*

Molière : *Amphitryon ; l'Avare ; Dom Juan ; l'École des femmes ; les Femmes savantes ; les Fourberies de Scapin ; George Dandin ; le Malade imaginaire ; le Médecin malgré lui ; le Misanthrope ; les Précieuses ridicules ; le Tartuffe.*

Ch. L. de Montesquieu : *Lettres persanes.*

A. de Musset : *Lorenzaccio ; On ne badine pas avec l'amour* (à paraître).

Les Orateurs de la Révolution Française.

Ch. Perrault : *Contes ou histoires du temps passé.*

E. A. Poe : *Double Assassinat dans la rue Morgue, la Lettre volée.*

J. Racine : *Andromaque ; Bérénice ; Britannicus ; Iphigénie ; Phèdre.*

E. Rostand : *Cyrano de Bergerac.*

R. L. Stevenson : *l'Ile au trésor* (à paraître).

Le Surréalisme et ses alentours (anthologie poétique).

Voltaire : *Candide ; Zadig* (à paraître).

(Extrait du catalogue général des *Classiques Larousse.*)

Collection fondée par Félix Guirand en 1933, poursuivie par Léon Lejealle de 1945 à 1968 puis par Jacques Demougin jusqu'en 1987.

Nouvelle édition
Conception éditoriale : Noëlle Degoud.
Conception graphique : François Weil.
Coordination éditoriale : Marie-Jeanne Miniscloux et Emmanuelle Fillion.
Collaboration rédactionnelle : Dominique Lavarde.
Coordination de fabrication : Marlène Delbeken.
Documentation iconographique : Nicole Laguigné.
Schémas : Léonie Schlosser, p. 2 ;
Thierry Chauchat et J.-Marc Pau, p. 12 et 13.
Gravure musicale : E. Dillard Informatique, p. 194.

Sources des illustrations
Agence de presse Bernand : p. 44, 113, 152.
Bulloz : p. 16.
Centre culturel de Cambrai : p. 5.
Jean-Loup Charmet : p. 19, 40.
Enguérand : p. 62.
Brigitte Enguérand : p. 10.
Marc Enguérand : p. 55, 77.
Enguérand/Steinberger : p. 150.
Giraudon : p. 24.
Kipa / S. Vaudenti : p. 142.
Larousse : p. 176, 178.

COMPOSITION : SCP BORDEAUX.
IMPRIMERIE HÉRISSEY. — 27000 ÉVREUX. — N° 60687.
Dépôt légal : mai 1990. N° de série Éditeur : 17393.
IMPRIMÉ EN FRANCE *(Printed in France)*. 871 303 L-Avril 1993.